JN072700

BOLIVIA REGISTRO DE UNA HISTORIA PARALELA

Colonia Okinawa

Personas que sobrevivieron a epidemias, desastres y discriminación

Autor
Hideki Watanabe

Traductoras
Shizuyo Yoshitomi, Roxana Oshiro

ボリビア開拓記外伝

コロニアオキナワ

疫病・災害・差別を生き抜いた人々

渡邉英樹＝著
吉富志津代, 大城ロクサナ＝訳

AKASHI SHOTEN

En cuanto a la traducción

Cuando el autor, el Sr. Watanabe, me pidió que tradujera este libro al español, sentí la importancia y la responsabilidad de ayudar a transmitir este invaluable registro a las futuras generaciones.

El español no es mi idioma nativo y no soy una traductora experta, por lo que estaba un poco preocupada así que pensé en realizar la traducción conjuntamente con Roxana Oshiro, ella es peruana, y con quien anteriormente hemos realizado traducciones. Acepté la propuesta de traducir pensando que entre las dos podíamos hacerlo.

Sin embargo, debido a que el libro contiene algunos detalles que solo pueden entender las personas que conocen de cerca la Colonia Okinawa en Bolivia, y a que hay diferencias entre algunas palabras entre el español de Perú y de Bolivia; pedí a la Asociación Okinawense de Bolivia que realizara la revisión final de esta traducción.

Aunque personalmente tengo contacto desde hace mucho tiempo con las personas de la Colonia Okinawa, trabajar en la traducción de este libro me ha permitido conocer más detalles de su historia. Realizar este trabajo me ha conmovido profundamente, una vez más me inspiraron los grandes logros de muchas personas.

Además, durante la traducción pude percibir que la Sra. Roxana Oshiro, como descendiente de segunda generación cuyo abuelo era de Okinawa y como alguien que está más cerca que yo a la línea de extensión de esta historia, se sintió profundamente conmovida y cercana a esta historia. Me gustaría agregar que sentí que ella más que yo, quiere transmitir esta historia a más personas.

Una vez más, me gustaría agradecer al Sr. Watanabe por confiar en mí para este importante trabajo y espero que mucha gente lea este libro.

Shizuyo Yoshitomi

翻訳にあたって

著者の渡邉さんからスペイン語への翻訳依頼をいただいた時、この貴重な記録を後世に伝えるという役割の一助を担えることの意義と同時に責任を感じました。私自身はスペイン語が母語ではありませんし、翻訳の専門家でもないので不安もありましたが、一緒に翻訳をしてくれたペルー出身の大城ロクサナさんとは、多くの文章を一緒に翻訳してきた経験もありますので、二人ならできるだろうと引き受けました。

しかし、この内容については、ボリビアのコロニアオキナワの関係者の方たちにしかわからないこともありますし、ペルーとボリビアのスペイン語の表現などに違いもあるということから、翻訳の監修をボリビア沖縄県人会にしていただきました。

翻訳作業を進めていて、ずっとコロニアオキナワのみなさんに関わってきた私自身も、これまでとは違う視点による具体的な歴史を知ることができました。多くの方たちの偉業に改めて尊敬の念とともに刺激も受け、作業自体に関わらせていただくことを感慨深く思いました。

また、大城ロクサナさんも、祖父が沖縄出身の二世ということもあり、この歴史の延長線上にいる当事者として実感と共感の連続で感激していたように思います。私よりも彼女こそ、この歴史を多くの人たちに伝えたいと強く思っていることを申し添えておきたいと思います。

あらためて、渡邉さんに、この役割を担わせていただいたことに感謝し、多くの方たちに読んでいただきたいと思います。

吉富　志津代

Prefacio

Bolivia ubicada en el centro de América del Sur, famosa por sus Salares de Uyuni cuya superficie es un espejo formado por el agua de las lluvias en el que se refleja el cielo. Se estima que el número de descendientes japoneses (nikkeis) residentes en Bolivia es de aproximadamente 14,000, y se dice que la mitad de ellos tienen sus raíces en Okinawa, son okinawenses.

En Bolivia está la gran Colonia Okinawa (Okinawa Ijyuchi) que fue construida desde sus cimientos por inmigrantes que llegaron desde la prefectura de Okinawa después de la Segunda Guerra Mundial. Su extensión territorial de 470 metros cuadrados representa el 40% de la isla principal de Okinawa, y está dividida en tres colonias.

Se estima que en la Colonia Okinawa residen al menos unos mil descendientes okinawenses y que cada familia trabaja un terreno de 300 a 500 hectáreas dedicadas a la agricultura a gran escala. Muy cerca se encuentra el Río Grande donde hay un muelle de balsas cuya ruta une con la primera colonia donde se encuentra el paradero de buses locales que van a la ciudad de Santa Cruz.

En el año 2000, debido a que el número de habitantes de la Colonia Okinawa más el número de bolivianos que se establecieron en los terrenos aledaños para trabajar en los cultivos llegó a 10,000 personas, se dio origen a la ciudad Okinawa.

Es decir que además de la "Ciudad de Okinawa" de Japón, nació al otro lado del mundo otra "Ciudad Okinawa".

En verano del 2018, se realizó la celebración "110 Aniversario de la llegada del Primer Okinawense a Bolivia" para conmemorar la llegada de los okinawenses antes de la Segunda Guerra Mundial a Bolivia.

Fue una gran celebración que contó con la participación de más de 60 representantes de la prefectura, ciudad, distritos y pueblos de Okinawa; en total unos 1200 invitados.

Yo me encontraba trabajando en la sucursal de Santa Cruz del Servicio de Emigración del Japón (Kaigai Ijyu Jigyodan), nombre inicial de JICA (Agencia de Cooperación Internacional de Japón), participando en la fundación de CAICO (Cooperativa Agropecuaria Integral Colonias

Okinawa Ltda.), viviendo junto a los miembros de la Colonia Okinawa momentos alegres y momentos difíciles. Por este motivo fui invitado a participar de este gran evento, creo que tuve mucha suerte de tener esta oportunidad.

En esta celebración me reencontré con viejas amistades y compartimos un sin límite de recuerdos, y muchos de ellos manifestaron su deseo de dejar registro sobre los inicios de CAICO.

La colonia Okinawa fue afectada en varias ocasiones por inundaciones y sequias no pudiendo producir nada, fueron momentos de extrema pobreza que generaron que muchos miembros se retiren unos tras otros, poniendo en peligro la sobrevivencia de la colonia. La colonia se encontró al borde de la destrucción en varias ocasiones y por más esfuerzos realizados, las difíciles situaciones continuaban. Por lo que las personas a cargo no tuvieron más remedio que asumir medidas poco convencionales y decidieron no hacerlo público para no generar problemas a quienes participaron.

Mientras trabajaba como funcionario de la organización gubernamental Kaigai Ijyu Jigyodan, que fue establecida con el fin de promocionar la inmigración japonesa y brindar ayuda a las colonias de inmigrantes japoneses, y como Asesor de Gestión de CAICO; consideré que "lo mejor era no hablar sobre el tema" por lo que guardé silencio hasta ahora.

Sin embargo, comencé a preguntarme si la parte más importante del período de fundación debería quedar sin ser explicada en la "Historia de CAICO", que en la actualidad se ha convertido en una de las principales organizaciones económicas de Bolivia.

CAICO fue una organización creada para iniciar el cultivo y comercialización del algodón como el único recurso para que la Colonia Okinawa sobreviviera. Sin embargo, después de dos años de gran éxito, el negocio del algodón terminó con enormes deudas debido a la repentina caída de los precios del algodón después de la crisis del petróleo y un fenómeno climatológico.

Yo, que encabecé el proyecto, fui acusado como "el responsable de generar un gran endeudamiento al lugar de inmigración". También fui calificado como "persona desfavorable" por las agencias gubernamentales japonesas del lugar.

Sin embargo, después de eso, la cantidad de lluvia en el área aumentó y debido a que los cultivos de soja, trigo, caña de azúcar y arroz riku (arroz de secano) eran adecuados para el lugar, se empezó a obtener buenas ganancias. Se dice que el sistema de cultivo mecanizado a gran escala establecido para el cultivo del algodón respondió rápidamente a estos cultivos y significó un gran adelanto en la zona.

Los viejos conocidos que reencontré en el lugar del evento me dijeron: "Sin ese tiempo, hoy no habría colonia", y sentí que las espinas de mi corazón se desvanecían. Durante la ceremonia tuve el honor de recibir un certificado como miembro honorario del Okinawa Kenjinkai (Asociación Okinawense de Bolivia) en Bolivia. Esto me hizo sentir que se me permitía escribir sobre CAICO.

Espero que al escribir este libro llene los espacios en blanco de la historia de la colonia, esto me haría muy feliz.

La otra historia es la persecución de los nikkei en Bolivia. Originalmente, los bolivianos no menospreciaron a los japoneses. Sin embargo, las operaciones de inteligencia de Estados Unidos, que se había convertido en enemigo de Japón en la Guerra del Pacífico, también se extendieron hasta Bolivia, que se había convertido en su aliado. Especialmente en torno a Riberalta, comunidad que era frontera en el llano oriental, el prejuicio pasó del desprecio a la persecución.

Sobre todo, fue un shock para mí que hubiera tantas víctimas de la guerra en un país al otro lado del mundo, un país lejano que nunca había librado una guerra con Japón. En el departamento de Santa Cruz, se encuentra la Colonia San Juan y la Colonia Okinawa, donde se reubicaron muchas personas de las prefecturas de Nagasaki y Okinawa después de la guerra, las cuales sufrieron graves daños. Debido a la gran cantidad de blancos en Santa Cruz, había una fuerte discriminación hacia los japoneses. Los inmigrantes japoneses eran considerados refugiados de un país derrotado.

Esta es otra historia desconocida de la inmigración.

Creo que Japón necesita examinar a fondo y resumir la historia de la persecución de los nikkeis en el extranjero debido a la última guerra, pero el número de sobrevivientes se ha vuelto extremadamente pequeño. Como mínimo, me gustaría aclarar la realidad de la discriminación y la persecución a partir de las personas que conocí en Bolivia, lo que vi y escuché, y sobre mi propia experiencia de ser el blanco de discursos de odio.

"Japón debe ser un país de relaciones internacionales pacíficas con desarrollo económico, tecnológico, científico y cultural", esta es la convicción que he adquirido en mis 10 años de vivir en Bolivia.

Hideki Watanabe

BOLIVIA
REGISTRO
DE UNA HISTORIA
PARALELA

Colonia Okinawa
Personas que sobrevivieron a epidemias, desastres y discriminación

Índice

Mapa de América Latina y ubicación de Bolivia

Fuente: "El Orbe y Bolivia" Editorial KAPELUSZ

1. Este libro ha sido traducido al español de la versión en japonés publicada por la compañía Rikyu Shimpo en el 2022.

1. Este libro es una adición importante al Ryukyu Shimpo publicado desde febrero de 2019 hasta mayo de 2022.

1. El área se basa en la versión de 1983 de la “Descripción general de los sitios de emigración” de la Agencia de Cooperación Internacional de Japón.
   El área de la Colonia Okinawa es de 46.877 hectáreas.

Parte 1

Historia de los okinawenses bolivianos

Inmigrantes antes de la guerra

De Perú a la Amazonía

Se dice que los habitantes de Okinawa llegaron a Bolivia en 1908, pero no vinieron directamente de la prefectura de Okinawa. Las personas que emigraron de Okinawa fueron a Perú para trabajar en los campos de caña de azúcar para enviar dinero a sus familias, pero luego se mudaron a Bolivia. Al no poder soportar la pobreza del medio ambiente y el duro trabajo en las fincas peruanas, encontraron una esperanza en Bolivia que estaba en pleno auge del boom del caucho, motivo que los llevó a trasladarse.

Los coches de gasolina inventados en 1870 se difundieron rápidamente debido a su atractivo.

Como resultado aumentó la demanda del caucho que era utilizado en las llantas generando una floreciente economía del caucho en las zonas superiores del río Amazonas.

Hasta que las semillas de los árboles de caucho y la principal área de producción fue trasladadas hasta el sudeste asiático, los árboles de caucho natural solo crecían en la cabecera del río Amazonas en Brasil y Bolivia.

Personas de todas las nacionalidades acudían a la selva soñando hacerse ricos rápidamente.

Los japoneses no fueron la excepción. En un clima cálido y húmedo, el trabajo de cavar a través de densos bosques para encontrar árboles de caucho y recolectar su savia era igual o más duro que trabajar en los campos de caña de azúcar. Sin embargo, se estima que había unos 2.000 japoneses.

Fue este auge del caucho lo que atrajo a los okinawenses a Bolivia.

También se le llamó "fiebre del oro" porque fueron monedas de oro británicas de 1 libra las que la empresa distribuidora pagaba por los trozos redondos de caucho crudo conocidos como borracha, que eran savia endurecida recolectada de los árboles.

Algunos pudieron obtener oro sin tener que ir a una mina de oro y extraerlo. De hecho, Kiyotoo Kokichi[*1], quien se adentró en las profundidades del Amazonas, me mostró esta realidad.

Hasta agosto de 1971 era muy fácil comprar monedas de oro de 1 libra en la Compañía Suárez de Santa Cruz, cambistas y tiendas de metales preciosos, en proporción al tipo de cambio estadounidense de 35 dólares la onza (aproximadamente 31,1 gramos).

En 1907 el Sr. Yagi Sentei, oriundo de la Prefectura de Okinawa, obtuvo la contratación e inició la construcción del Ferrocarril Mamoré de 45 kilómetros desde Guayaramerín, provincia de Rondonia, Brasil, hasta Riberalta, departamento del Beni, Bolivia. Hay escrituras que indican que al realizarse la construcción en la selva virgen del lado boliviano los trabajadores eran 30 japoneses y que algunos de ellos eran de la prefectura de Okinawa.

Uno de esos pioneros, el señor Yoei Arakaki, un amigo cercano, llegó a Cobija desde Perú en 1916 cruzando los nevados de los Andes.

En el camino, el Sr. Arakaki se encontró con japoneses que recolectaban líquido de caucho en varios lugares, y dijo que había lugares con nombres como Yokohama, Tokio y Japón.

La mayoría de las personas que ingresaron a estas zonas procedían de Perú, cruzando los nevados de la Cordillera de los Andes y descendiendo en balsas por los afluentes de la cuenca alta del Amazonas. Sobre la situación de como cruzaban los Andes, es muy conocido el diario del señor Yoei Arakaki. En 1916, en su paso por los Andes un grupo de 38 personas incluido el señor Yoei, pidieron por el descanso de sus compatriotas que murieron sin cumplir su propósito frente a sus tumbas.

Ese día, el Sr. Yoei sintiendo frustración por la muerte de sus compatriotas escribió en su diario: "Quisiera que incluso aunque sus huesos se descompongan en esta nieve, sus espíritus emprendedores perduren como un aliento para que los compatriotas puedan desarrollar

*1 El Sr. Kokichi Kiyotoo es de la prefectura de Kumamoto y su esposa es la hermana mayor del presidente George Herbert Walker Bush. He visitado su casa en Santa Cruz muchas veces, donde también conocí al sobrino del Sr. Kiyoto, el presidente Alberto Natusch Busch.

estos bosques que tienen muchos tesoros." (Del texto publicado por el Sr. Motoo Ono, No. 6 de Estudios de Inmigración. *Clima = Temperamento)

Como siempre en la historia de la humanidad, incluso si superaban estas dificultades y llegaban a la tierra de la fiebre del oro, hay personas que lograron sus sueños de enriquecerse rápidamente y otras no. Hasta convertirse en un recolector de líquidos de caucho con todas las de la ley, había una gran diferencia dependiendo de la suerte según el lugar donde se mudarán, la época y el empleador.

Después de llegar a la selva profunda, Yoei Arakaki se dedicó a la construcción de carreteras y a la pesca. Desde 1920 a 1922, se dedicó a recolectar fluidos de caucho. La vida en el denso bosque estaba llena de peligros como accidentes, ataques de animales salvajes y enfermedades tropicales. Además, las cabañas de los compañeros más cercanos estaban a varios kilómetros o decenas de kilómetros de distancia. Por supuesto que no había médicos, por eso, en caso de emergencia, les avisaba a sus vecinos con el sonido de un disparo.

Sin embargo, se dice que hubo algunos que debido a heridas o enfermedades graves repentinas no tuvieron fuerza física para disparar y murieron.

Según el diario del Sr. Yoei, el día que pasó por la casa de un conocido y se le informó sobre la muerte de su primo, escribió: "Hermano Hideyoshi, de una familia pobre, que mantenía a su esposa e hijos y vivía en una difícil situación, tomaste una gran decisión y viajaste todo el camino cruzando las olas de diez mil millas y todavía no habías podido enviar ni un solo centavo a tu familia y has muerto en esta tierra extranjera; es muy triste, pero debe ser más doloroso para tus padres, esposa e hijos".

Incluso en condiciones tan duras, algunas personas usaron el dinero que ganaban recolectando líquido de caucho para viajar a varios lugares en barco, o usaron sus habilidades especiales para asumir diversas ocupaciones y construir una base sólida para su sustento, sobre esto se podía leer en un diario local de Riberalta en 1923.

Se publicó que: "Desde que los japoneses comenzaron a dedicarse a la agricultura y comenzaron a proporcionar abundantes verduras, algunas cosas se podían comprar a una décima parte del precio. Los carpinteros, sastres y fabricantes de tejas también ofrecían buenos productos. Los japoneses trabajaban más del doble que los lugareños en la recolección de savia del caucho. Los logros de los japoneses redujeron el costo de vida en un 60%".

En 1930, Yoshiharu Noda, secretario de la Embajada de Japón en Brasil, informó en un viaje de negocios a Riberalta que había 169 japoneses (6 eran mujeres) viviendo en la ciudad de Riberalta y sus alrededores, de los cuales 55 eran de Okinawa (3 eran mujeres). También se dice que Riberalta era "Togenkyo" (mejor mundo).

Según "Viviendo en Bolivia", revista que conmemoraba los 100 años de la inmigración japonesa, "En esa época, en Riberalta, era costumbre que la gente con algún margen de maniobra consiguiera a una nativa pobre y la criara. Era común que una niña de 15 o 16 años, anduviera vendiendo dulces, y no podía regresar a casa hasta que vendía todos los dulces. En estos casos, le compraban todos los dulces y como ya no tenía que seguir vendiendo, a cambio les lavaba la ropa, preparaba la comida, e incluso les entregaba su cuerpo. Para un japonés esto era muy bueno para superar las dificultades de la vida en la jungla. Los precios de las muchachas variaban según su belleza o fealdad, pero las mujeres que se compraban se convertían en esposas que servían a sus maridos con tierno cariño".

Se estima que había unos 2.000 japoneses en esta profunda región amazónica. La mayoría de estos matrimonios eran de hecho y no requerían formalidades legales, ese era el lazo común entre hombres y mujeres en la tierra recién desarrollada en las regiones más remotas del continente sudamericano. Como resultado, la comunidad nikkei en Riberalta tiene el mayor número de nikkeis en Bolivia, se dice que hoy son 10.000. Aun así, estas 10.000 personas saben que una de sus raíces es de Japón, pero la mayoría no tiene documentos que lo certifiquen. Además, debe haber otros quienes no saben que tienen descendencia japonesa y permanecen en la selva analfabetos y sin educación viviendo en la pobreza como "indígenas".

Con esto en mente, es algo complicado llamar a esto "Togenkyo" (mejor mundo).

Esconder las raíces por miedo a la persecución

Aunque era pre moderna, la comunidad japonesa en la parte profunda del Amazonas era una sociedad tranquila cultivada por su diligencia. Debido a la entrada de Japón en la Guerra del Pacífico y su derrota, la situación de repente empeoró. Los japoneses pasaron de ser respetados a ser perseguidos.

En particular, el número de víctimas siguió aumentando en la región amazónica profunda.

En su libro "Vivir en Bolivia", el autor y poeta Pedro Shimose describe la situación en ese momento en un artículo titulado "Historias de gente sin historia". Dado que representa con precisión la situación de los inmigrantes japoneses en Bolivia, me gustaría presentarla, aunque es una cita larga.

"La comunidad japonesa en Riberalta fue completamente insertada a la sociedad boliviana, y fueron respetados no solo por su fortaleza económica, sino también por su contribución a la sociedad boliviana, especialmente a la comunidad local en Riberalta. Los vientos tormentosos de la Gran Guerra soplaron en contra de los sueños de los japoneses". "Japón perdió la guerra. Después de perder la batalla, en esta parte de Bolivia olvidada por los centros de poder, los alemanes y japoneses comenzaron a sufrir represalias por parte de los pobladores que desconocían sus aportes económicos y sociales". "Usando la victoria de las potencias aliadas como escudo e imitando los métodos de los Estados Unidos, los jefes locales persiguieron a los alemanes y japoneses quitándoles sus riquezas", "Disolvieron las cooperativas agrícolas, cortaron los cultivos en los campos, quemaron cosechas y mataron cerdos, caballos y ganado. Antiguos agricultores y comerciantes japoneses que ya se habían naturalizado en Bolivia, fueron sumergidos en las profundidades de la pobreza. Estos actos de violencia y brutalidad fueron perpetrados por bolivianos ante la aprobación y mirada espectadora de la policía". "Nadie nos explicó, ni siquiera se disculpó con nosotros. Después de 1945, ser hijo de alemán o japonés era una deshonra. Tuvimos que soportar la humillación, el insulto y la vergüenza".

Así lo describió.

Como resultado estas personas ocultaron ser japoneses, y no hablaron de sus raíces ni de Japón, ni siquiera con sus propios hijos. Dando origen a nikkeis que no entienden japonés, que no conocen sus raíces, que han perdido su identidad y viven en una profunda soledad.

La mayoría de los nikkeis de tercera generación de Riberalta que conocí no hablaban japonés, y su conocimiento estaba limitado a que tal vez sus abuelos eran japoneses. Uno de ellos es un joven que llegó como secretario de la Cámara de Comercio de la ciudad de Santa Cruz. Para obtener ese puesto, debió haber trabajado muy duro en medio de la persecución. Aunque me identificó como empleado de una agencia del gobierno japonés, no me dijo que era descendiente de japonés hasta que le pregunté. E incluso después de eso, no mostró ningún tipo de familiaridad como compatriota. Imaginé que tenía un pasado doloroso donde escondía sus raíces y las reprimía.

Muchas personas escaparon de la dureza de la Amazonía profunda y se trasladaron a Santa Cruz, pero, aunque no hubo decomisos ni quema de propiedades, la persecución por discriminación no fue la excepción.

El estado de Santa Cruz en ese momento es descrito de la siguiente manera por el pintor Tito Kuramoto en su libro "Vivir en Bolivia".

"Cuando entré a la escuela en Santa Cruz me di cuenta de que era diferente a otras personas. Hasta ese momento estaba protegido por mi entorno familiar, y nunca había pensado en lo que pasaba en el mundo sobre la guerra entre Japón y Estados Unidos. Cuando Japón perdió la guerra, nos golpeó lo peor. Los periódicos, revistas y propaganda de películas estadounidenses inundaron las calles, y los japoneses éramos ridiculizados tanto mental como espiritualmente. Nuestros antepasados eran llamados raza cruel, retardados, fanáticos, feos, chiquitos, en otras palabras, la raza más baja de personas. (el párrafo no ha sido escrito literalmente). Mis hermanos y yo tuvimos que convivir con este tipo de sentimiento anti japonés desde la escuela primaria hasta la secundaria. Debido a la mala pronunciación del español se crearon amargas y desagradables anécdotas, nuestros nombres fueron mal pronunciados, se cantaron canciones de burla y estábamos irreparablemente dañados. Así sufrimos un daño psicológico irreversible". Así habla de su infancia.

Aun así, fueron personas que se esforzaron mucho a pesar de la dura situación.

En septiembre de 1969, poco después de asumir mi cargo, tuve la oportunidad de asistir a un "Keirokai" (reunión de adultos mayores) en Santa Cruz. Me sorprendió ver a varios ancianos okinawenses que emigraron a Bolivia antes de la guerra. Todos ellos llegaron desde Perú cruzando los Andes nevados y entraron a la región de Riberalta en la cuenca alta del Amazonas, dedicándose a la recolección de caucho natural u otros trabajos, y a pesar de que obtuvieron éxito debido a su dedicación, se mudaron a Santa Cruz después de ser severamente perseguidos y dañados por la derrota en la Guerra del Pacífico.

Uno de ellos, el Sr. Yoei Arakaki, me invitó a tomar el té varias veces y tuve la oportunidad de ver cómo estaban las cosas en ese momento. Lo que me sorprendió fue la invitación extremadamente cortés. Primero, me

Keirokai de Santa Cruz. En la segunda línea, al lado izquierdo, aparece el autor de este libro y su esposa. En la misma línea, la quinta persona desde la izquierda es el Sr. Yoei Arakaki, en la misma línea en el centro, están el Sr. Nishi, Cónsul de Japón, y su esposa. (septiembre de 1969)

envío un mensajero diciendo: “Me gustaría invitarle a tomar el té, pero ¿aceptaría?”. Cuando respondí: “Con mucho gusto”. Después apareció un mensajero para consultar el día y la hora convenientes, y luego de eso un mensajero vino a hacerme una invitación formal.

Pensé que él era verdaderamente una persona de “Shurei no Kuni” (un país con mucha educación y cortesía). Me preguntaba si era posible que, en su personalidad apacible y caballerosa, se ocultara una pasión por la audaz hazaña de cruzar el mar hasta el Perú y luego cruzar los Andes para asentarse en las selvas de la parte alta del Amazonas.

La casa de Yoei era un espléndido edificio que sobresalía de los alrededores, con una tienda en el primer piso y una residencia en el segundo piso. Dirigía una cafetería y una agencia de viajes, pero escuché que también dirigía un parque infantil de carros y una fábrica de refrescos. Aunque tenía una personalidad amable, también era una persona que se proyectaba y tenía un negocio sólido.

Durante la hora del té, escuché una historia que nunca olvidaré.

“Se trataba de su hijo”. El Sr. Yoei envió a sus cuatro niños de regreso a Japón para recibir una educación en su país de origen. Sorprendentemente, tres de ellos fueron llamados a la guerra y me dijo calmadamente que todos habían muerto en acción.

¿Está bien que tal cosa suceda? Un escalofrío recorrió mi cuerpo y me quedé sin palabras. Además de la horrible tragedia de la Batalla de Okinawa, en la que murió uno de cada cuatro residentes, esta guerra también causó un sufrimiento despiadado a los inmigrantes de Okinawa que vivían al otro lado del mundo.

Trozos redondos de caucho crudo conocidos como borracha, también se les llamó "fiebre del oro" porque eran cambiadas por monedas de oro británicas de libra.

Campamento construido dentro de la selva amazónica. Se cree que para la extracción de caucho también se utilizó este tipo de campamentos. (Foto tomada por el autor del libro en 1980)

Plan de construcción de la Colonia Okinawa

A pesar de este sufrimiento, el Sr. Yoei y sus colegas establecieron Okinawa Sensai Kyūen-kai (la Asociación de Ayuda para Desastres de la Guerra de Okinawa) (presidente Kancho Gushi) para ayudar a la gente de Okinawa, que se pensaba estaba en una situación peor que la de ellos. Solicitó donaciones y envió suministros de socorro a Okinawa en su país natal, que había sido reducida a cenizas.

Por otro lado, como una actividad de socorro más activa comenzaron a construir una "Colonia Okinawa" en Bolivia para dar esperanzas a la gente de su país de origen.

No era un sueño imposible, la gente de la prefectura había tenido experiencias exitosas en Riberalta en el pasado. Al realizar el concepto de "Colonia Okinawa" basado en sus logros, tenía un fuerte deseo de recuperar el orgullo y la esperanza que habían sido destrozadas por la Segunda Guerra Mundial.

Al trabajar junto con los compatriotas que recién habían inmigrado para lograr la prosperidad, podrían dar la oportunidad de "conocer sobre Japón" y "el orgullo de ser japoneses y okinawenses", algo que no han podido transmitir a sus hijos y nietos; el sueño se hizo más grande.

Este concepto progresó rápidamente porque el gobierno boliviano que quería promover el desarrollo de la naturaleza virgen en el departamento de Santa Cruz, y el gobierno de Ryukyu en Okinawa, donde la confusión continuaba con muchos repatriados del extranjero; estaban de acuerdo.

Además, con el apoyo de Estados Unidos que quería facilitar la política de ocupación, el proceso de selección de los lugares de asentamiento se llevó a cabo rápidamente.

Los inmigrantes antes de la guerra con la idea de construir un "pueblo Okinawa" decidieron irse de Riberalta, donde el transporte era inconveniente y los japoneses eran severamente perseguidos. El gobierno boliviano otorgó 10.000 hectáreas de tierra como un nuevo asentamiento cerca de la apertura del ferrocarril brasileño, 74 km al este de Santa Cruz. Allí se estableció la Asociación de Inmigración de Uruma (Uruma Ijyu Kumiai) para aceptar nuevos inmigrantes de su prefectura natal de

Okinawa.

El factor decisivo para hacer esto realidad fue el hecho de que, en mayo de 1952, el Dr. James Tigner, profesor de la Universidad de Stanford en los Estados Unidos, fue comisionado por los Estados Unidos y el gobierno de las islas Ryukyu para realizar un estudio de campo de la "Tierra de cultivo Uruma"[*2], y cuyo resultado fue: "Es una tierra adecuada para inmigrar".

Al mismo tiempo, enfatizó la necesidad de asistencia y orientación. Con base en este informe, el gobierno de los EE. UU. aprobó la reubicación de personas de Okinawa a Bolivia, y a través de subsidios de viaje y la sucursal en Bolivia del Programa de Asistencia Estadounidense Posterior a la Segunda Guerra Mundial para Países en Desarrollo, Point Foret, se decidió asignar $ 17,500 a la "Tierras de cultivo de Uruma" como costos iniciales para el asentamiento.

*2 Hay otros nombres como "Asentamiento de Uruma" y "Colonia de Uruma", pero en la conversación general en Colonia Okinawa se llamaba "Tierra de cultivo de Uruma", por lo que en el texto se utiliza este nombre.

Inmigrantes de posguerra

Inicio de la migración después de la guerra

Con la aprobación del gobierno de EE. UU., el gobierno de Ryukyu envió a Bolivia como enviados especiales a cargo de la inmigración a Ichiro Inamine, presidente de la Asociación Extranjera de Ryukyu, y Hiroshi Senaga, director de la Oficina de Planificación Económica del Gobierno de Ryukyu.

Luego, en marzo de 1954, los dos enviados especiales obtuvieron el permiso de inmigración del gobierno boliviano y escribieron un telegrama al presidente del gobierno de Ryukyu diciéndole: "Me gustaría que hiciera los preparativos para la llegada hasta el mes de agosto de 400 personas, 80 familias y 80 solteros; a la ciudad de Santa Cruz a través del puerto de Santos".

Se dice que la cifra de 80 solteros se debió al deseo del ministro de Agricultura de Bolivia, de mezclar con el pueblo boliviano la sangre de los valientes japoneses que lucharon contra Estados Unidos.

Al recibir el telegrama de los enviados especiales, el gobierno de Ryukyu promulgó de inmediato las "Directrices para el reclutamiento de inmigrantes agrícolas de Bolivia, América del Sur", y las distribuyó a cada municipio y comenzó el reclutamiento. Casi 4000 personas de todo Okinawa se apresuraron a presentar su solicitud en menos de un mes después de que se distribuyeron las pautas. Después de la primera ronda de selección en cada municipio y una semana de selección rigurosa por parte del Consejo para el Envío de Inmigrantes al Exterior, los nombres de los 400 solicitantes que calificaron (incluyendo 80 personas solteras) fueron anunciados en el periódico el 3 de mayo.

Aunque 400 personas fueron anunciadas como elegibles para emigrar a Bolivia, en realidad hicieron el viaje 405 personas. Se cree que el aumento se debe a que los solteros se habían casado o las familias tuvieron más hijos.

De esta manera, el plan de posguerra para reubicarse en Bolivia comenzó con las 405 personas seleccionadas por el gobierno de Ryukyu, divididas en dos grupos, el primer grupo de 278 personas y el segundo grupo de 127 personas, quienes partieron en un barco holandés desde el puerto de Naha, iniciándose el programa de emigración.

Tras cruzar el Océano Atlántico vía Hong Kong, Singapur y Ciudad del Cabo, desembarcaron en el puerto de Santos.

De ahí abordaron el ferrocarril recién inaugurado, y en el camino, los propios migrantes juntaron leña para el combustible de la locomotora a vapor-carbón mientras cocinaban y comían junto a las vías del tren, y luego de un largo viaje de siete días, llegaron a la estación Paylon.

Cargando mucho equipaje de mano en la carreta de bueyes, recorrieron 32 kilómetros a través de la zona boscosa y llegaron a las tierras de cultivo de Uruma el 15 de agosto de 1954. Además, el 14 de septiembre llegó el segundo grupo, que transportaba a muchos nativos de Miyakojima. Los costos de construcción de alojamiento, tala, transporte, compra inmediata de alimentos y camiones, etc.; fueron pagados con asistencia financiera del gobierno de los Estados Unidos.

Enfermedad de Uruma

A pesar del buen asentamiento, 1954 fue un año de gran sequía.

No llovió durante unos tres meses después del asentamiento y los pantanos que se habían utilizado para beber agua se habían secado, el pozo que habían excavado estaba inservible debido al agua salada por lo que tuvieron que beber el agua turbia del Río Grande. Las verduras no brotaron, por lo que el equilibrio nutricional se deterioró de inmediato generando desnutrición. El 30 de octubre finalmente se encontró la primera víctima.

A partir de entonces, una familia tras otra tenía 1 o 2 personas enfermas, y el asentamiento se convirtió en un remolino de ansiedad y confusión. Shuzo Nishihira, presidente del comité de contramedidas de emergencia (líder del primer grupo de inmigrantes), dijo: “Ha habido pocas lluvias desde que nos instalamos aquí, y la sequía ha continuado, y es poco probable que se cosechen otros cultivos además de la yuca. Ha ocurrido un brote de malaria maligna. Cuatro de las 85 personas han muerto", y envió un telegrama a los gobiernos de Bolivia y Ryukyu. ("Yuca" es cassava, que también es la materia prima de la tapioca, y también se llama yuca o mandioca en América del Sur).

El 3 de febrero de 1955 llegó un equipo de tres médicos enviados por el gobierno boliviano. Aunque se investigó y trató la causa de la enfermedad, las muertes continuaron y el número de víctimas llegó a 10. Como resultado, cerca de 100 migrantes fueron evacuados a Santa Cruz. El 12 de febrero, las inundaciones azotaron sin piedad las tierras cultivadas de Uruma, cuyos habitantes estaban asustados por la enfermedad.

La tierra cultivada de Uruma fue inundada por el río Grande, y el área circundante quedó sumergida, convirtiéndose en una isla aislada. Debido a la sumersión del área, las ratas de campo que habían estado viviendo en las tierras bajas, se precipitaron a la tierra cultivada de Uruma, entraron en alojamientos de inmigrantes y devoraron comida y ropa con una fuerza aterradora.

148 de los 405 inmigrantes enfermaron y colapsaron con fiebre alta y dolor abdominal. Las 15 personas gravemente enfermas que perdieron la fuerza tenían problemas para respirar, sus uñas y labios se pusieron morados y luego murieron. Los médicos de las Naciones Unidas y del Departamento de Guerra de los EE. UU. que fueron enviados para identificar la enfermedad de los inmigrantes, no pudieron encontrar la verdadera causa.

Por esta razón, se le denominó "Enfermedad de Uruma".

Incluso los inmigrantes que habían experimentado feroces combates durante la guerra dijeron que la situación era "peor que un campo de batalla".

Algunas personas llamaban al área de inmigración de San Juan, donde muchas personas eran de la prefectura de Nagasaki, "prisión verde" porque estaba ubicada en un estado de aislamiento, rodeada de caminos impenetrables y accidentados y bosques vírgenes altos. Por otro lado, la tierra cultivada de Uruma, que parecía un área quemada sin lluvia, podía describirse como un "infierno marrón".

Una vez le pregunté a Yoshiko, la esposa de Tokuzen Tooma, el primer presidente de la Asociación Okinawa-Japón-Bolivia, sobre la situación en ese momento. "¿Pasaste la noche tocando sanshin (instrumento musical de Okinawa) y llorando por las víctimas?". A mi pregunta grosera respondió: "No fue así. Todos pensamos que mañana nos podía tocar, por lo que pasábamos el tiempo en silencio conteniendo la respiración. Así que no hicimos ni un solo ruido, todo estaba en silencio", dijo mientras parecía estar abrumado por el miedo.

También dijo: "Los hombres no podían llegar a un acuerdo cada vez que discutían sobre el establecimiento del asentamiento, trataban de encontrar la responsabilidad debido a estudios irresponsables sobre el lugar e incluso discutían sobre medidas futuras, bebían y peleaban todo el tiempo", dijo, que ellos se encontraban atormentados por la frustración en ese momento.

Además, me sorprendió escuchar que incluso el saludable exteniente del ejército, Kinzaburo Tomori, estaba enfermo y en estado crítico. La Sra. Yoshiko, que también es de la isla de Miyako, le dijo al cuñado menor de Tomori, Teitoku Uechi quien era ex médico del ejército, que le administrara una inyección de antibiótico.

Cuando Tooma y su esposa partieron de Japón, un pariente médico se lo dio como regalo de despedida.

El Sr. Uechi dijo que le puso la inyección al Sr. Tomori pensando que era la única alternativa.

Se desconoce si funcionó, pero Tomori sobrevivió.

"No puedo verlos porque tengo miedo. Trasládense lo antes posible", recomendó el médico, por lo que después de hacer una investigación se envió una delegación a Palometilla.

El 16 de abril llegó a Santa Cruz una delegación largamente esperada del gobierno de Ryukyu, Yasukuni Yamakawa, director de Asuntos Sociales, Zensuke Teruya Director del Centro de Salud Pública de Koza, el Teniente Coronel de los Estados Unidos Sr. Reading y el Sr. Wetkin.

Se llevó a cabo un comité de contramedidas de emergencia en la casa del Sr. Yoei Arakaki, y al día siguiente, el 17, irían a Palometilla para realizar una investigación. Tuvieron una reunión más en la casa del Sr.

Yoei y decidieron una política para que todos se muden de las tierras de cultivo de Uruma a Palometilla.

El Sr. Yoei no me lo dijo claramente, pero por lo que dijo en ese momento sentí que los inmigrantes de antes de la guerra estaban divididos en dos opiniones: los que querían apegarse a sus intenciones originales y los que priorizaban rescatar a los inmigrantes en las tierras de cultivo de Uruma.

El hecho de que las reuniones del comité de respuesta a emergencias se celebraran dos veces en la casa de Yoei significaba que, a pesar de que se había separado de sus antiguos compañeros, la máxima prioridad de Yoei era rescatar a los migrantes después de la guerra. Estoy convencido de que el Sr. Yoei debe haber dado la máxima prioridad al rescate de los inmigrantes de la posguerra y debió trabajar diligentemente en varios aspectos.

Kancho Gushi y Kame Akamine, quienes dirigieron el "Concepto de construcción de la Colonia Okinawa", dijeron que los esfuerzos de los inmigrantes de antes de la guerra durante los últimos cuatro años no habían dado resultado en nada frente a la ira de la naturaleza. Cuando

Las personas que emigraron a las tierras de cultivo de Uruma (Año 1954)

regresaron, sus intenciones fueron completamente anuladas, y se fueron con una sensación de lamento.

El Ministerio de Agricultura y Ganadería del gobierno boliviano, que se opuso firmemente a la medida, la aceptó mediante fuertes negociaciones de los enviados especiales Yamakawa y Teruya.

Estados Unidos proporcionó aproximadamente $ 115,000 como fondos de nueva ayuda.

Esto motivó el traslado de todos a Palometilla.

122 inmigrantes del tercer grupo, incluidas las familias restantes del primer y segundo grupo que estaban en la isla principal de Okinawa, llegaron a Palometilla que se encontraba en una situación caótica.

Caso Bárbaro

Los viejos inmigrantes tenían buenas intenciones e hicieron que los nuevos inmigrantes se establecieran en las tierras de cultivo de Uruma.

Sin embargo, como resultado, esto terminó arrastrando a sus compatriotas a la "tierra de la muerte" causándoles un sentimiento de culpabilidad y tuvieron que renunciar al "Plan de construcción de la aldea de Okinawa".

Por otro lado, los nuevos inmigrantes que habían venido con esperanza se encontraron en la peor situación posible, es innegable que sintieron dos emociones: arrepentimiento por su ingenua decisión de emigrar y enfado con el Dr. Tigner, quien realizó un estudio del sitio, y los gobiernos de EE. UU. y Ryukyu, que alentaron la emigración.

Hubo un incidente que causó una sensación de desconfianza aún más apremiante.

El incidente fue que el hermano menor de Kame Akamine, una figura central en la "Asociación de Inmigración de Uruma", que estaba investigando las tierras de cultivo circundantes de Uruma, murió tras ser apuñalado en el pecho con una lanza por un cazador-recolector indígena Bárbaro.

Se dice que el Bárbaro trató de llevarse un marcador triangular que sirve como guía para los reconocimientos de áreas porque pensó que era valioso, y que como el hermano del Sr. Akamine lo persiguió para recuperarlo, lo apuñaló.

Sin embargo, los ex inmigrantes no informaron al gobierno de Ryukyu sobre este incidente.

"¿Por qué los ex inmigrantes ocultaron el incidente?"

Esto está relacionado con el "Plan de Construcción de la Aldea de Okinawa". Esto se debe a que los inmigrantes antes de la guerra ya habían comprado 2.500 hectáreas de tierra adyacente a la tierra cultivada de Uruma por 60.000 bolivianos bajo el nombre de Unión Agrícola de Uruma, apoyándose en la mano de obra de los inmigrantes solteros que llegarían después de la guerra.

Si contaban sobre este incidente, descubrirían que la tierra cultivada de Uruma era territorio de Bárbaros (rango de acción). Si eso sucedía, temían que el asentamiento se considerara inseguro y que el proyecto de construcción de la aldea de Okinawa desapareciera.

El Sr. Akira Aniya y otros jóvenes no fueron informados de que su asentamiento estaba en una zona tan peligrosa. Se explicó vagamente que era por motivos de seguridad, y la policía local entregó 10 pistolas y 1.000 cartuchos de balas. Se dice que hicieron rondas todos los días y dispararon un tiro de advertencia a las 3 en punto. Me dijo que hicieron esto hasta que apareció la enfermedad Uruma porque después ya no pudieron continuar.

Los inmigrantes de la posguerra se enteraron del incidente después de que se instalaron y un tiempo después de que la víctima que fue herida con la lanza muriera sin recuperarse de un tratamiento médico a largo plazo.

Inevitablemente, este secreto creó una sensación de desconfianza en los corazones de los nuevos inmigrantes hacia los viejos inmigrantes. Con el traslado de las tierras de cultivo de Uruma a Palometilla, los viejos y nuevos habitantes de Okinawa se vieron obligados a separarse.

¿Quién podría haber imaginado el trágico desenlace de una ruptura tan profunda entre los viejos y los nuevos inmigrantes, aunque fueran víctimas de la guerra, aunque fueran compatriotas de un mismo país?

Además, el lugar al que se mudaron no era un lugar seguro para vivir.

Las negociaciones de adquisición de tierras con el terrateniente terminaron en fracaso.

Con la cooperación del presidente Paz Estenssoro y el pedido del gobierno de los EE. UU. que no podían quedarse sentados y esperar, pudieron avanzar más hacia el área de inmigración actual de Okinawa y finalmente establecerse.

Sorprendentemente, era octubre de 1956, luego de que llegaran los primeros inmigrantes a Bolivia y se vieran obligados a vivir en el exilio durante más de dos años. No conozco otra historia trágica de inmigración que haya tardado dos años en asentarse en una inmigración masiva

Traslado a Palometilla (Año 1955)

planificada.

Por cierto, Ichiro Inamine, presidente de la Asociación de ultramar de Ryukyu, cuando visitó las colonias vio el estado de ellas y al regreso voló a toda prisa de Bolivia a Washington para solicitar al gobierno estadounidense una ayuda de 820.000 dólares para la inmigración de Okinawa.

Fue después de dos reubicaciones que se presupuestó, por lo que los fondos se utilizaron para crear una carretera entre la primera y la segunda colonia y para construir un hospital.

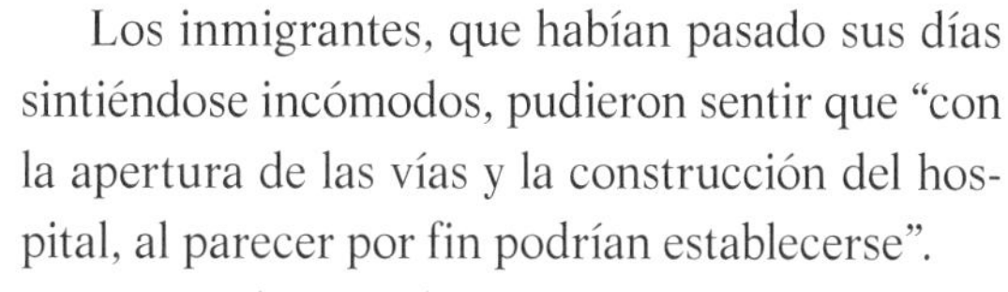

Los inmigrantes, que habían pasado sus días sintiéndose incómodos, pudieron sentir que "con la apertura de las vías y la construcción del hospital, al parecer por fin podrían establecerse".

Sin embargo, los inmigrantes nuevos y antiguos no se involucraron en actividades económicas conjuntas, y los inmigrantes de la posguerra decidieron trabajar en la creación de una nueva Colonia Okinawa.

Como resultado, la relación entre la comunidad issei, que no entendía el español, y las comunidades de ex inmigrantes de segunda y tercera generación, que no entendían el japonés, se volvió cada vez más distante.

Notas •Las fotos y cifras que hasta ahora se citan son del "Diario conmemorativo del 50 aniversario de Colonia Okinawa".

Parte 2

A Bolivia 1969-1974

Cráter de la Guerra Fría Bolivia

Sobre el mismo cielo que el Apolo 11

La razón por la que me uní a la Agencia de Emigración en el Extranjero, una agencia gubernamental que brindó apoyo para la migración masiva de japoneses en la posguerra fue porque yo mismo quería emigrar al extranjero.

Nací en Showa 16 (1941) en la antigua ciudad de Usuda de la prefectura de Nagano. En el pasado, era una tierra pobre con solo campos estrechos en las montañas en una tierra fría donde la temperatura descendía por debajo de los -15 grados centígrados en invierno. Las personas que viven en tierras estrechas sin mar tienen un fuerte anhelo de conocer vastas tierras en el extranjero, este fue el factor importante por el que la prefectura de Nagano es, con diferencia, número uno de Japón, ya que envió a unos 34.000 pioneros de Manchuria.

Como resultado, sufrieron una dolorosa tragedia.

En toda la prefectura hay monumentos conmemorativos de quienes murieron en el cumplimiento del deber en la batalla contra el ejército soviético que invadió Manchuria al final de la guerra, y las víctimas de suicidios masivos de mujeres y ancianos quienes habían sobrevivido a la batalla.

Casi todas las ciudades, pueblos y aldeas de la prefectura tienen monumentos conmemorativos en honor a las víctimas, más de 450 en Iiyama, 600 en Nakano, 600 en Nagano, 200 en Ueda, 1000 en Iida y 300 en Kitaaiki.

Mi tía, Noriko Nishiwaki, anhelaba explorar Manchuria cuando era joven y se inscribió en el "Jyoshi Takumu Kunrensho" (Centro de Entrenamiento de Colonización de Mujeres) en Hiroshima. Era una "mujer emprendedora" que abordaba activamente cosas nuevas. Más tarde fundó

Alrededor de Tagawa Suihou el autor de la manga Norakuro, quien venía todos los años en verano (segunda persona desde la derecha). Abuelo y abuela, padre y madre, el autor del libro de 10 meses de edad. En primer lugar, a la izquierda tía Noriko (Año 1942)

el Instituto de Ropa de Tokio y lideró el auge de la confección de ropa de la posguerra.

Como tenía un hermano casi un año menor que yo, en lugar de mi ocupada madre, prácticamente me crio mi tía, así que creo que ella influenció en mí de alguna manera.

Cuando entré a la escuela primaria, los maestros solían decir: "Por eso perdimos la guerra" y "Por eso Japón es inútil". Cuando fui al baño público del pueblo, me robaron los zuecos y la ropa del cesto de ropa. Había gusanos en la ración del bacalao, pero todos los sacaban y se lo comieron. Hubo un montón de fenómenos sociales para convencernos de que Japón no era bueno.

Me lance para recoger los chocolates y chicles que arrojaban los soldados estadounidenses, aunque me sentía patético por ello.

Mi sueño era escapar del inútil Japón y mudarme al extranjero.

Durante la crisis laboral de 1965 (Showa 40), salté ante la frase "migración al extranjero" en un anuncio de trabajo de un periódico.

Luego, conseguí un trabajo en el Servicio Emigración del Japón, que se había establecido hacía dos años.

Hubo un tiempo en que los países que no podían encontrar políticas efectivas con efectos inmediatos sobre la escasez de alimentos y la escasez de empleo animaban a las personas a emigrar al exterior. Esto coincidió con el deseo del gobierno de EE. UU. de proceder sin problemas con su política de ocupación.

Según las memorias de Tatsuo Tanaka, miembro de la Cámara de Representantes (luego Ministro de Industria y Comercio Internacional y Ministro de Educación), quien fue el primer presidente de la Asociación Japón Bolivia y de la Federación Japonesa de Asociaciones de Familias de Emigración japonesa en el Extranjero; el primer ministro Shigeru Yoshida salió de Canadá de camino a casa después de una gira por América del Sur cuando era miembro de primer año de la Dieta. Se dice que se reunió con él cuando se encontraba en Nueva York, y le aconsejó promover la inmigración a Centroamérica y América del Sur.

Se dice que el préstamo de inmigrantes de 15 millones de dólares de los Estados Unidos se completó debido a que el primer ministro Yoshida estuvo de acuerdo con la sugerencia del Sr. Tanaka. (Documento de "Familia Inmigrante" publicado el 10 de diciembre de 1992)

De esta manera, bajo la jurisdicción del Ministerio de Relaciones Exteriores después de la guerra, se establecieron y promovieron mediante préstamos dos corporaciones especiales, la Zaidan hojin Nihon Kaigai Kyokai Rengoukai y Nihon Kaigai Ijyu Shinkou Kabushiki Gaisha Federación de Asociaciones de Japón en el Extranjero y Japan Overseas Emigration Promotion Co., Ltd.

Pero, debido a que no tenían suficientes fondos, no realizaron investigaciones sobre la selección de sitios de migración y surgieron problemas en las áreas de inmigrantes en toda América del Sur porque se vieron obligados a establecerse en áreas con infraestructura inadecuada.

Los periódicos usaban con frecuencia impresos que criticaban la inacción de la administración de inmigración del Ministerio de Relaciones Exteriores y decían: "La emigración al extranjero es destierro". En un intento por resolver de alguna manera este problema, las dos organizaciones se fusionaron y se estableció el Servicio Emigración del Japón, que se hizo cargo del personal de ambas corporaciones.

El Ministerio de Relaciones Exteriores siguió siendo la autoridad supervisora, pero el primer presidente fue Kenji Hirooka, ex Superintendente General del Departamento de la Policía Metropolitana, y Nobuo Kashimura, ex Comisionado de la Agencia Nacional de Policía, fue designado primer director.

A mí me asignaron a la Sección de Préstamos del Departamento de Préstamos.

Dado que era una organización que acababa de establecerse, tanto el gerente general como el gerente de sección fueron adscritos del Banco de Japón, y todos aprendimos "cuál es el negocio de los préstamos" bajo su dirección.

Los mayores problemas del departamento de préstamos fueron las deudas incobrables del asentamiento de San Juan en Bolivia, heredado de la organización anterior. Peor aún, a los inmigrantes de San Juan no les gustaba el Servicio de Migración al Extranjero.

Había una razón para esto. El hecho de que Yasuo Wakatsuki, exjefe de la sucursal de Santa Cruz de la antigua Federación de Sociedades en el Extranjero de Japón, no pudiera permanecer en la Agencia de Emigración en el Extranjero tuvo un gran impacto.

Aunque el Sr. Wakatsuki trabajó arduamente para salvar a San Juan de su difícil situación, que se describió como una "prisión verde" y "ni los perros van", era mordaz y se opuso rotundamente al Ministerio de Relaciones Exteriores, que estaba a cargo de la administración de inmigración. La confrontación con el Oficial de Relaciones Exteriores B, ambos graduados de la Universidad de Tokio, se intensificó hasta convertirse en un conflicto que involucró a miembros del personal que admiraban a ambos, y se salió de control. Como resultado, el Sr. Wakatsuki no pudo permanecer en la Agencia de Emigración en el Extranjero.

Varios empleados que admiraban al Sr. Wakatsuki también abandonaron la agencia.

Al escuchar esta noticia, muchas personas de inmigración de San Juan, que sentían aprecio por el Sr. Wakatsuki como el "Padre de la Colonia", se entristecieron hasta las lágrimas.

Por circunstancias especiales no encontradas en otras sucursales, el personal despachado de la casa matriz a la sucursal de Santa Cruz en Bolivia no tenía ninguna expectativa de ser recibido favorablemente por la Colonia. (El Sr. Wakatsuki luego se convirtió en profesor en la Universidad de Tamagawa y escribió "Los japoneses que han sido borrados por el Ministerio de Relaciones Exteriores", publicado por Mainichi Shimbun).

Además de eso, Bolivia, un país remoto en América del Sur donde no se puede conseguir pescado de mar, estaba naturalmente en la parte inferior de los lugares de trabajo preferidos del personal.

Allí me ordenaron trasladarme, a pesar de que solo llevaba cuatro años en la empresa.

La frase "Bicho de verano que vuela hacia el fuego" es el ejemplo perfecto de una transferencia al exterior.

En 1969, con 27 años, llegué a Bolivia, que se encuentra al otro lado del mundo con una diferencia horaria de 13 horas con Japón. Solo habían pasado 5 años desde 1964, cuando se levantó la prohibición del público en general de viajar al extranjero durante unos 30 años antes y después de la guerra, lo que se denominó la "segunda apertura del país".

Salí del aeropuerto de Haneda el 15 de julio con mi esposa y mi hija de cinco meses, llenamos combustible en Honolulu, me quedé en Los Ángeles por una noche y luego me trasladé a Lima, Perú, por otra noche.

Desde Lima, nos vimos atrapados en la turbulencia de las montañas nevadas de los Andes en un avión de hélice, y cuando cruzamos las

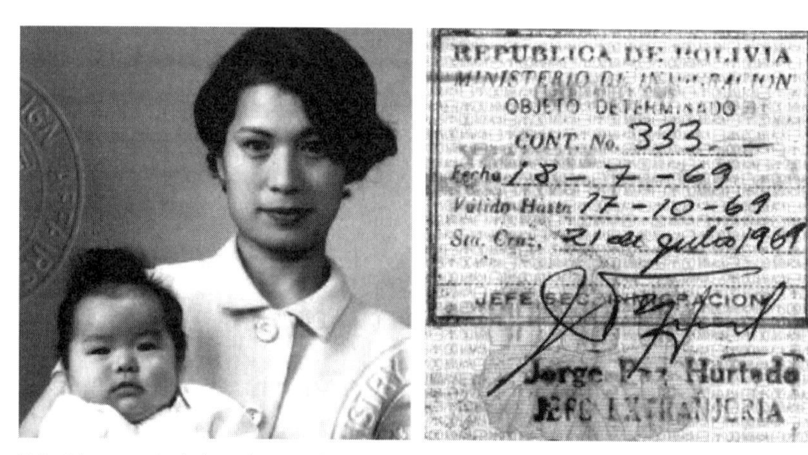

Foto del pasaporte de la madre y su niña y estampilla de entrada a Bolivia.

montañas en medio de baches, un mar de árboles verdes apareció ante nuestros ojos.

Las montañas marrones se volvieron de color verde oscuro hasta donde alcanzaba la vista hasta el horizonte lejano.

Al mismo tiempo, el avión inició el descenso y aterrizó en el Aeropuerto El Trompillo en Santa Cruz, Bolivia. El tiempo de vuelo solo fue de 33 horas.

Al día siguiente, el 19 (día 20 horario de Japón), los periódicos locales cubrían ampliamente la llegada a la luna del Apolo 11. "Estábamos en el mismo cielo, casi al mismo tiempo", me quedé mirando el periódico con una sensación de euforia.

Santa Cruz, un pueblo en la primera línea de recuperación

La superficie terrestre de Bolivia es unas tres veces la de Japón. Según el informe anual del Banco Mundial, se decía que la población era de unos 4 millones. Sin embargo, no parecían contar con el sistema para realizar un censo nacional preciso. Según la sabiduría local, se decía que eran 8 millones de personas. En términos generales, dos tercios de la población vivía en la región montañosa de los Andes, que ocupa un tercio de la superficie terrestre del país. Aproximadamente se asumió que un tercio de la población vivía en las tierras bajas orientales de dos tercios, incluida la cuenca de origen del río Amazonas.

En ese momento, las tierras altas y las tierras bajas eran tan diferentes que era difícil creer que fueran el mismo país.

La gente de las zonas montañosas estaba compuesta principalmente por indígenas que vestían ropas tradicionales de la época de los incas y mestizos de ellos y caucásicos, mientras que las tierras bajas orientales estaban compuestas principalmente por caucásicos.

Sin embargo, fuera de las esferas económicas y de vida civilizada, había tribus de cazadores-recolectores desnudos en las profundidades del Amazonas, y pueblos indígenas similares a la tribu guaraní en la región del Chaco cerca de la frontera con Paraguay. El río en el camino de la ciudad de Santa Cruz a la Colonia San Juan solía ser el lugar más difícil para el transporte, el nombre de este río es "Pirai". En guaraní significa "río de pocos peces".

Por cierto, el río que fluye cerca de Alto Paraná, un asentamiento japonés en Paraguay se llama "Pirapo", que significa "río con muchos peces". Hay huellas de los indígenas en los topónimos. En una era en la que la medicina no estaba desarrollada, se evitaba el clima cálido y húmedo de las tierras bajas, las plagas y las criaturas peligrosas, y durante mucho tiempo las tierras bajas del este permanecieron intactas, con solo unos pocos pueblos indígenas viviendo de la caza. Los caucásicos, principalmente españoles, comenzaron a establecerse allí. Su base es Santa Cruz.

Se decía que la población rondaba los 100.000 habitantes en ese momento, pero era una ciudad en primera línea de recuperación, como si acabara de salir de una película del oeste.

La primera casa en la que vivimos estaba a solo 700 metros al este de la plaza central donde se encontraba la catedral, pero también no estaba pavimentada y tenía caminos de arena, y el agua que se usaba para cocinar y lavar en casa se tiraba a las calles. Siempre había un charco en medio de la calle, por lo que la gente caminaba bajo los aleros elevados de las casas coloniales. Durante la temporada de lluvias, el camino se convertía en un río, en una ocasión vi a una persona que cruzaba la calle cargando en su espalda a una mujer para conseguir una propina.

Descendientes de los pioneros en el desarrollo del pueblo San Javier (Foto tomada por el autor en 1978)

El hedor asqueroso de los caminos invadía la zona, y era el olor peculiar del pueblo. La situación de la energía eléctrica también era mala, y cuando había un corte de energía dos veces por semana, usábamos una lámpara de aceite para alumbrar.

La ducha eléctrica tampoco funcionaba, así que usábamos agua casi fría.

La primera circunvalación, el primer anillo de 50 metros de ancho, que dibuja un círculo con un radio de 1 km desde el centro de la ciudad, también estaba sin pavimentar. En los días en que el viento era fuerte, se levantaba mucho polvo, así que cuando estaba trabajando, a veces usaba una pluma de avestruz en una mano para quitar la arena mientras escribía. Hubo momentos en que escribía mientras limpiaba la arena con una pluma en la otra mano.

Sin embargo, había muchas mujeres latinas hermosas de las que se decía que eran "mujeres hermosas que caían de los árboles". En la noche, desde el frente de la casa donde vivía una joven del barrio pude escuchar una serenata de amor acompañada de toques de guitarra, haciéndome pensar que era un pueblo latino.

La noche antes de las vacaciones, la música propia de Santa Cruz con un ritmo alegre cercano a la samba diferente al folclore del altiplano andino llamado "Taquirari" sonó de un momento a otro en una fiesta que duró hasta el amanecer.

En el momento de mi llegada a la sucursal de Santa Cruz de la Agencia de Emigración en el Extranjero, había 2 miembros del personal enviados, el gerente de la sucursal Takaharu Sawaji y yo, 1 profesor de japonés de Japón y como personal contratado localmente 9 japoneses y 1 boliviano.

Y cada uno de los dos asentamientos japoneses tenía su propia oficina.

Había 4 empleados enviados a la oficina de San Juan y la granja experimental, 6 empleados contratados localmente y 1 médico enviado desde Japón para la clínica.

Incluidos los arriba mencionados, más 2 empleados enviados, 2 contratados localmente y 2 médicos enviados desde Japón¸ la oficina de Okinawa tenía un total de 30 miembros.

Por separado, bajo la dirección de Susumu Kojima y Koji Tomizu, ingenieros agrícolas y civiles, había un equipo de ingeniería civil

La calle Oruro donde vivíamos inicialmente (foto tomada por el autor en 1969)

encabezado por Atsuo Ikeda, formado por más de 50 empleados japoneses y bolivianos, y en ocasiones llegaba a 100.

Luego de casi terminar la construcción de caminos y la construcción de puentes en el área de inmigración de San Juan, el equipo de construcción transfirió la gestión posterior al municipio de San Juan. Desde 1970, se hicieron preparativos para construir una oficina y un sitio de prueba en la Colonia No. 2 para brindar apoyo a gran escala a la Colonia Okinawa.

El trabajo de la Agencia de Emigración en el Extranjero es de amplia rama e incluye el desarrollo de infraestructura como carreteras, puentes y zanjas de drenaje, así como la mejora de la seguridad, la atención médica y la educación; el propósito fue apoyar "la creación de una colonia en la que los niños puedan vivir tranquilamente".

Sobre todo, esto requiere el establecimiento de una base económica para cada agricultor.

Necesitábamos fondos para eso, pero el estado de la colonia en ese momento no estaba en condiciones de obtener un préstamo de una institución financiera local. Para promover la independencia económica, los préstamos de la corporación eran esenciales, aunque fueran pequeños.

No era solo el número de casas, ya que un padre y un hijo podía ser una unidad económica, por lo que el área de asentamiento de San Juan (27.132 hectáreas) en número de casas era de aproximadamente 150, y en el área de inmigración de Okinawa (46.877 hectáreas) eran aproximadamente 180 casas; todos fueron elegibles para el préstamo.

Y me hicieron responsable de la financiación.

Jóvenes cruceñas (santa cruceñas) (foto tomada por el autor en 1969)

Un país entregado al golpe de Estado

Hubo un golpe de Estado medio mes después de mi llegada.

Es una broma, pero fue una época en la que una guía de viajes estadounidense decía: “Si quieres ver la revolución, debes quedarte en Bolivia durante tres meses”.

Fue un año convulsionado.

En 1969, cuando asumí el cargo, hubo cambio de presidente tres veces.

Este no era sólo un problema de Bolivia.

“Porque la sombra de la Guerra Fría entre Oriente y Occidente cubrió el mundo”.

El concepto de progreso del presidente estadounidense Kennedy, logró detener el comunismo en línea con la gran tendencia de “romper el gobierno colonial y la democratización” en el continente sudamericano. A pesar de la gran cantidad de asistencia económica los Estados Unidos se vio obligado a detener esto sin lograr los resultados que quería. La lucha política dirigida a los intereses de los fondos de ayuda económica incluso se intensificó.

Centro de la ciudad de Santa Cruz dentro la primera circunvalación (foto tomada por el autor en 1970)

La ofensiva del campamento comunista que obtuvo el éxito de la revolución de Cuba y el desarrollo ventajoso de la guerra de Vietnam ganó impulso, y en noviembre de 1966 el Che Guevara disfrazado de un hombre de negocios de Uruguay entró a Bolivia, se escondió en la jungla y la lucha política llegó a su máximo nivel.

Para evitar que una revolución comunista encendiera las llamas en el continente sudamericano a través de la red de Guevara en Argentina, Paraguay, Brasil, Perú y Chile; Estados Unidos que había decidido no intervenir en los cambios de los gobiernos tuvo que cambiar su política en dirección al apoyo a los anticomunistas civiles o soldados. Como resultado, el continente sudamericano durante este período estuvo plagado de conflictos bélicos indirectos de la Guerra Fría entre los Estados Unidos y la Unión Soviética. Entre ellos, Bolivia era particularmente propenso a la agitación política.

Si la guerra de Vietnam fue un gran cráter del que brotó el magma del enfrentamiento entre el campo capitalista y el socialista, Bolivia siempre fue un pequeño cráter con repetidas pequeñas explosiones.

Un japonés en La Paz me informó que cuando se estableció un

Vista de la Catedral desde la oficina de la Agencia de Emigración en el Extranjero (foto tomada por el autor en 1970)

gobierno de izquierda con el respaldo de la Unión Soviética, entre 400 y 500 operativos del Partido Comunista ingresaron a la embajada soviética. Esta situación se enfrentó repetidamente a los Estados Unidos y al personal militar que estableció un gobierno de derecha mediante un golpe de Estado para derrocar la situación. Sin embargo, el golpe de Estado del general Ovando en agosto de 1969 lo cambió todo. El presidente Ovando nacionalizó Gulf Oil de los Estados Unidos y promovió una política de extrema izquierda antiestadounidense. Sin mencionar a la CIA y los Boinas Verdes (fuerzas especiales del Ejército de los EE. UU. que lucharon en la Guerra de Vietnam), incluso los estadounidenses comunes se apresuraron a vender sus muebles y automóviles y huyeron a sus países de origen, se dejó de ver estadounidenses en la ciudad de Santa Cruz.

Desfile de la Independencia en el que participó el presidente Siles. Se observa la bandera americana con el símbolo de la muerte como una forma de despertar el sentimiento antiestadounidense. Después de unos días se produjo un golpe de estado liderado por el general Ovando. Adelante se ve vestido con terno al Sr. Kenji Takeda director del comité organizador de la ceremonia de "100 años de la Migración Japonesa a Bolivia" (agosto de 1969)

La revolución fue vista como una batalla de duelo por la muerte el Che Guevara, un héroe mundial, ocurrida año y medio atrás.

Por otro lado, como no se sabía al principio que había un soldado japonés llamado Freddie Maemura entre los soldados de Guevara. Cuando llegó Toru Miyoshi para hacer entrevistas locales a las que asistió nuestro personal antes de publicar la primera edición de "Che Guevara Den" (Bungei Shinzyusha). No se comentó sobre Freddie Maemura durante la cena que compartieron.

A 50 km al norte de Santa Cruz se encuentra Montero donde está ubicado el punto de ramificación para llegar a la Colonia Okinawa y a la Colonia San Juan.

Había una unidad de guardabosques que arrestó al Che Guevara.

Estados Unidos estaba enviando las boinas verdes como un aviso militar para combatir las guerrillas. Si se sabía que había un japonés entre los soldados guerrilleros, el tránsito de los migrantes japoneses entre San Juan y Okinawa habrían sido estrictamente vigilado por la unidad de guardabosques. Debió haber sido aterrador.

El libro editorial de la hermana mayor de Fredie, Mary Maemura Hurtado, "El samurai de la revolución: los sueños y la lucha de Freddy Maemura junto al Che", traducida al japonés por Ai Matsueda en agosto del 2009. Freddy Maemura, cuyo padre era migrante de antes de la guerra originario de la prefectura de Kagoshima, mientras estudia medicina becado en Cuba simpatizó con las ideas del Che Guevara y se unió a él sin informar a su familia que se encontraba en Bolivia. Afortunadamente, fue apodado "El Mético (médico)" y parece no haber sido conocido como nikkei. Al ser atrapados por la unidad de guardabosques, se dice que la mayoría de los soldados guerrilleros fueron obligados a confesar, pero él no dijo nada y fue ejecutado.

La inestabilidad política amenaza el territorio de los japoneses

A primera vista, estos cambios políticos parecen no tener nada que ver con el pueblo japonés, pero en realidad, ni la zona de emigración ni el pueblo japonés podrían quedarse sin ellos.

Aquí radica la dificultad de vivir en un país extranjero.

La razón de esto es que la "Reforma Agraria" era una política que invariablemente se lanzaba cuando un gobierno de izquierda asumía el poder.

Se dice que la ley de reforma agraria de Bolivia se inspiró en la ley de agricultura de arrendamiento dirigida por el Cuartel General Comandante Supremo de las Potencias Aliadas (GHQ) de la posguerra de Japón.

En el caso de Japón, el uso efectivo de las tierras agrícolas subdivididas no estaba progresando y se estaba convirtiendo en un cuello de botella para la reforma agrícola; en ese momento, debido a la diligencia de las personas que adquirieron la tierra como arrendatarios, hubo un aumento en la cantidad de cosecha por metro cuadrado y se lograron una cierta cantidad de resultados.

Sin embargo, en Bolivia, la disposición que "concede derechos de propiedad a quienes cultivan tierras baldías" ha sido interpretada de manera amplia, ya que también han invadido arbitrariamente tierras que han quedado sin cultivar.

Y debido a que la productividad de aquellos que adquirieron tierras no aumentó, los gobiernos de izquierda invariablemente sufrieron escasez de granos.

También hubo informes de funcionarios y personal militar que revendieron al extranjero trigo que había sido importado con urgencia como contramedida y se metieron el dinero en al bolsillo.

Los grupos que abogan "contra el latifundio (gran propiedad de la tierra)" invadieron ilegalmente las áreas de inmigración japonesa.

Algunas granjas en la Colonia Okinawa también sufrieron daños.

En una prueba de campo que involucró la entrada ilegal en un terreno que estaba destinado a un futuro aeródromo detrás de la Estación Experimental Agrícola de la Residencia de San Juan, los representantes del municipio de San Juan y los funcionarios de la agencia fueron rodeados por más de 100 intrusos.

Los intrusos gritaban: "¡Esta es nuestra tierra!" y "¡Fuera, japonés!" levantando sus machetes hacia el cielo.

Aunque les hicieran un juicio y ganaran, no podrían hacer que la sentencia se cumpla, por lo que eso no resolvería nada.

Desde Japón, decían: "¿Qué pasó a pesar de que ganaron el juicio?"

Me molestó la diferencia cultural con la oficina principal de Tokio.

¿Vas a pagar a los intrusos para que se vayan? ¿Quién dará ese dinero?

La única solución que queda es armarse y ahuyentarlos.

Sin embargo, si hacían eso, se convertiría en un problema internacional. Era una serie de dilemas.

También invadieron ilegalmente la tierra de los okinawenses que cultivaban vegetales cerca de Santa Cruz.

Tal vez el perro guardián ladró.

Con el movimiento estudiantil involucrado en esto, las transmisiones de radio avivaron el sentimiento anti japonés, diciendo: "Los japoneses nos ahuyentaron con sus perros".

Además, comenzaron a hacer publicidad diciendo: "Los hospitales en las áreas de inmigración japonesa nos dejarán morir".

Sin poder sentar cabeza, decidí entrar al escondite del movimiento estudiantil en la Universidad René Moreno. Solo que esta vez, incluso el personal boliviano Sr. Osuna, que siempre estaba feliz de acompañarme, tuvo miedo de ir conmigo.

Le pedí a Emilio Hurtado, un abogado que a pesar de que le estaban pagando honorarios por asesoría tenía poco trabajo, que me acompañara. Como buen abogado, estuvo de acuerdo.

Un gran salón de clases lleno de estudiantes donde no podíamos ni movernos.

En ese ambiente conflictivo, el abogado Hurtado explicó que el acuerdo migratorio entre Japón y Bolivia estipulaba que los médicos japoneses no podían atender a los bolivianos.

De mi parte expliqué que, si me mordía una serpiente venenosa, tenía un accidente de tránsito o tenía un evento que amenazaba mi vida, responderían adecuadamente. También enfaticé sobre la enfermedad de Uruma de la cual 15 personas fueron víctima, destacando que los japoneses no se asentaron en un territorio donde ya existían infraestructuras desde un principio, sino que superaron todo tipo de dificultades para llegar a su estado actual.

Agregué que la confortabilidad de la colonia había sido desarrollada por los japoneses, y que la agricultura aprendida de los japoneses permitió a muchos bolivianos ganarse la vida en las áreas circundantes.

Marcha de las asociaciones japonesas en el Día de la Independencia. De izquierda a derecha en segundo lugar, el autor de este libro. De derecha a izquierda, en la tercera fila, Ishuu Choki primer director de la oficina del Gobierno de Ryukyu en Bolivia.

Como resultado, afortunadamente, a partir del día siguiente, la incitación a través de las emisiones de radio se detuvo.

Sin embargo, la inestable situación política hizo sombrío el futuro de la colonia.

Esto también fue un factor que aumentó el número de personas que salieron de la colonia.

El Día de la Independencia, la Asociación Japonesa de la ciudad de Santa Cruz en conjunto con la asociación de cada área de migrantes, marcharon con pancartas que decían: “Inmigrantes japoneses junto a los ciudadanos de Santa Cruz”; así tuvimos que esforzarnos para promover la amistad.

Remesa al coronel que dio el golpe de estado

En tales circunstancias, quien mejor entendió el aporte de los japoneses a la sociedad boliviana fue el coronel Lemaitre, presidente de la casa colonial del gobierno boliviano, quien impulsaba una política de colonización interna con el objetivo de desarrollar el oriente de Bolivia. Entendía cuánta infraestructura se necesita desarrollar para promover sus propias políticas. Por eso valoraba el trabajo de las colonias de San Juan y Okinawa, que se habían adentrado en la tierra salvaje y la cultivaban.

Debido a dificultades financieras, el gobierno boliviano cambió la Ley de Registro de Extranjeros e impuso un impuesto de $20 por persona al momento de renovar el registro.

En ese momento mencionó lo mucho que los japoneses aportaban a la sociedad boliviana en un artículo que hablaba en contra del impuesto de registro y que publicó en el periódico de la ciudad de Cochabamba, y me envió un ejemplar.

El coronel Lemaitre era un soldado de ascendencia alemana. Y Takaharu Sawaji, quien era el jefe de la sucursal de Santa Cruz cuando me nombraron, también había sido teniente del ejército, por lo que había una confianza entre ambos.

El señor Sawaji, que fue trasladado de Bolivia a jefe de la sucursal de Paraguay, me ordenó mantener en su lugar una buena relación con el coronel.

La cooperación del coronel era absolutamente necesaria para evitar la propagación de invasiones ilegales en las áreas de inmigración japonesa.

Sin embargo, las cosas tomaron un giro inesperado.

En 1970, el coronel Lemaitre puso en marcha junto a otros dos militares, un golpe de estado para derrocar al gobierno de izquierda y una vez que ingresaron a la oficina presidencial, declararon que se establecía un gobierno representativo de tres miembros.

Sin embargo, el General de la Fuerza Aérea Juan José Torres, respaldado por el gobierno soviético, bombardeó el palacio presidencial en un intento por mantener el régimen de izquierda. En ese momento, las ventanas del local de la Asociación Japonesa en La Paz también fueron rotas por balas perdidas de las ametralladoras de aviones de combate.

Inevitablemente, a pocos días de entrar al palacio presidencial, el coronel Lemaitre desertó al país vecino de Paraguay, confiando en el presidente Stroessner.

Luego, el hijo mayor del coronel Lemaitre que fue a entregar los gastos de manutención al lugar de exilio, fue perseguido y en la capital de Paraguay, Asunción, ocurrió un incidente en el que fue abaleado quedando herido.

Tal vez fue el resultado de una consulta entre el Sr. Sawaji y el coronel Lemaitre en Paraguay, el Sr. Sawaji me contactó y se decidió que yo secretamente recibiría los gastos de manutención de los familiares del Coronel Lemaitre. El dinero recibido de una mujer pariente del coronel Lemaitre, lo cambié por un cheque en dólares del mismo valor que el

El coronel Lemaitre, presidente de la casa colonial del gobierno boliviano, y su esposa (con sombrero), durante su visita a la Colonia San Juan. (Foto tomada por el autor del libro en 1970)

efectivo recibido y lo envié al personal a cargo del Sr. Sawaji en Paraguay.

Además, por seguridad, en lugar de entregar el cheque que envié, se decidió que fuera cambiado a moneda paraguaya antes de entregárselo al coronel.

Posteriormente, en 1971, el coronel Hugo Banzer Suárez encabezó un levantamiento armado para derrocar al gobierno de Torres e instaurar un gobierno de derecha.

La batalla de esta revolución fue feroz, e incluso en Santa Cruz, el tiroteo fue tan feroz que hasta tuvimos que tirarnos en el piso de nuestra oficina.

Se necesitaron varios días para llegar a un acuerdo, por lo que el Jefe de Sucursal Suenaga y el Gerente de Planta de Okinawa, Nishino, dijeron que, si la revolución del coronel Banzer terminaba en fracaso, yo estaría en peligro e hizo arreglos para que yo pudiera ir a Brasil.

Poco después del éxito de la revolución, el coronel Lemaitre regresó a Santa Cruz desde Paraguay para visitarme. En cuanto al asunto relatado en el diario de que "Se entregaron 100 fusiles automáticos al ejército de Banzer desde Paraguay", omití preguntar si el coronel estaba involucrado o no.

Y el coronel Lemaitre que quería establecer su propia "residencia definitiva" en el área de inmigración japonesa y a quien yo le iba a ayudar, lamentablemente murió en un accidente de tráfico en el interior de Cochabamba. No estaba claro si fue un accidente casual o intencional.

Fachada de la primera casa en la que viví en la calle Oruro. La puerta de entrada es la que está detrás del poste de luz. Al lado izquierdo el garaje y el patio, en la parte interior había un árbol grande de mango. (1969 Foto tomada por el autor)

Dibujo original de "Nora Kuro" del maestro Suiho Tagawa donado al Hospital Central de Okinawa que me encargó entregar (1969)

Parte 3

Primera línea de desarrollo de la selva

La vida en la selva virgen

Luchando contra criaturas peligrosas

Cuando llegué a tomar posesión de mi trabajo, en 1969, ya habían pasado 14 años desde que se inició el asentamiento de la Colonia San Juan, y 13 años desde que la Colonia Okinawa se asentara en el lugar actual, tiempo durante el que por dos años se vieron obligados a vivir como nómadas.

Por lo tanto, yo mismo no sé cómo se veía el lugar cuando se instalaron por primera vez en la jungla salvaje.

Si alguien sin talento literario trata de imaginar cómo era en ese momento y trata de explicar la experiencia a través de relatos aterradores, sería imposible transmitir la realidad.

Recientemente, hay programas de televisión que presentan las experiencias de las celebridades en la selva. También hay un presupuesto para la cobertura, alimentos, carpas, medicinas, etc.; para cuya estadía están completamente preparados, y la cobertura con un guía local es muy diferente a ir por primera vez a una tierra inexplorada.

En la vida real, tal vez, incluso utilizando objetos de acero como motosierras, hachas y machetes, el desarrollo de la selva que los individuos desafiaron con sus propias manos debió ser similar a las dificultades que tuvieron los antiguos pobladores de la tierra cuando pasaron de la caza a la agricultura.

En lugar de explicaciones como: "las penurias al comienzo del asentamiento" o "por qué los indígenas de la sierra se negaron a adentrarse en la selva", creo que sería más fácil para el lector imaginar si se le presenta la vida en la selva virgen como su propia vida y experiencia. Cultivar la selva se puede decir que es como tener una lucha contra criaturas peligrosas. Este hecho era lo que molestaba mucho a los pioneros

Yamashiro Koki y Tomori Kinsaburo en trabajos de preparación del terreno de la segunda colonia Okinawa

(la incógnita y preocupación por lo que le deparaba la vida en un lugar desconocido). Soportarlo diariamente se convierte en algo natural.

Cuando llegué, la propia ciudad de Santa Cruz estaba rodeada por un mar de bosques vírgenes.

Estaba solo dentro del segundo anillo vial, (para lograr la comprensión, es necesario explicar que la ciudad de Santa Cruz tiene una singular planificación urbana que consta de varios anillos concéntricos distanciados entre sí de aproximadamente un kilómetro) que partía de la catedral y tenía un radio de 2 km.

Aún así, no era posible mantenerse alejado de los bichos.

No es el tipo de serpientes venenosas, escorpiones y arañas que generalmente se imaginan, sino las más pequeñas, las que molestaban a los humanos.

Lo que me enseñaron nada más al llegar fue que toda la ropa, incluso los calcetines, debían plancharse correctamente.

Los japoneses solían llamarlos "1000 bichos (insectos)", pero se dice que las especies parecidas a los tábanos ponen sus huevos en la ropa que se pone a secar al sol.

Si no te das cuenta y te pones la ropa, docenas de gusanos eclosionados de los huevos se incrustarán en tu piel.

Para evitar esto, se dice que la unión entre tela y tela también deben

Casas de madera con techo de hojas de palmeras construidas en los inicios de la colonia Okinawa (Foto tomada en 1969 por el autor)

plancharse cuidadosamente para quemar los huevos que se hayan adherido a ellas.

En ese momento, la electricidad en la ciudad era mala, había cortes de energía dos veces por semana y el voltaje era débil. Era una carga pesada para las amas de casa porque tenían que usar planchas de hierro llenos de carbón caliente.

Afortunadamente, a nosotros no nos afectó, pero a nuestro querido perro pastor alemán llamado Dandy, sí. Lo llevé a un veterinario. Dandy, a quien le inyectaron gas para matar gusanos en ambos oídos, sacudió la cabeza e innumerables cadáveres de gusanos quedaron esparcidos por el suelo.

Había muchas moscas por todas partes. Algunas veces, cuando traté de comer cerca del rancho, se metieron a mi boca cuando me reí. Es normal que haya mosquitos. La Colonia San Juan, que es más calurosa y húmeda que la Colonia Okinawa, ha experimentado muchas epidemias de malaria.

Según el Sr. Yoei Arakaki "Una de las razones por las que los okinawenses de antes de la guerra decidieron ubicarse en las tierras cultivadas en Uruma fue que, aunque el área circundante desde Montero hasta el área de inmigración de San Juan era conocida por sus árboles de gran altura y sus riquezas, rechazaron ir debido a la dificultad del transporte y la enfermedad de la malaria".

El Sr. Yoei Arakaki dijo que: "Una de las razones por las que los okinawenses de antes de la guerra decidieron ubicarse en las tierras cultivadas en Uruma fue que, aunque el área circundante desde Montero hasta el área de inmigración de San Juan era conocida por sus árboles de gran altura y sus riquezas, rechazaron ir debido a la dificultad del transporte y la enfermedad de la malaria".

En una ocasión cuando el Land Cruiser quedó atascado en un surco en el bosque y estaba siendo remolcado con un cabrestante, al levantarlo, el techo estaba negro debido a los mosquitos.

También hubo otra escena con mosquitos que me llamó la atención.

Cuando guiaba a un visitante de Japón, una columna de mosquitos de color negro azabache que emitían zumbidos se colocó detrás de él y lo siguió todo el camino. La columna tendría unos 20 centímetros de diámetro y unos 50 a 60 centímetros de largo. Quienes veían esto, a menudo se reían y decían "Los japoneses tienen sangre dulce". Por otro lado, este incidente me hizo confirmar que me había convertido en un lugareño y ya no le gustaba a los mosquitos.

Cuando arrancamos una garrapata grande que se introduce en la piel, a veces puede dejar solo la cabeza. Incluso si no se queda, como está mordiendo fuertemente la piel, y la tratas de sacar con fuerza, también puedes arrancar tu piel. Al principio yo las arrancaba porque no sabía, las huellas de haberlo hecho todavía permanecen en mi brazo derecho. La forma correcta de sacarlas es quemándolas con un encendedor, etc., y luego despegarlas.

Pero los ácaros de las hojas son mucho más problemáticos porque son pequeños. Cuando estaba de excursión en el monte a menudo me abría paso entre las hojas que llegan a la altura de la rodilla. Hay innumerables ácaros pequeños en la parte inferior de tales hojas.

Si tus pantalones tocaban las hojas, estabas acabado.

Antes de que te dieras cuenta, entraban en tu cuerpo y mordían algunas partes blandas como las axilas y la ingle.

Me picaban tanto que me enloquecía, pero con la luz de la lámpara, no podía encontrarlos para matarlos. Una vez me cubrí con gasolina porque no aguantaba la picazón que me impedía dormir.

La colonia Okinawa comenzó con la primera colonia y luego se expandió a la segunda y tercera colonia, desde el punto de vista de la comodidad de todos los inmigrantes, se suprimió la oficina que había en la primera colonia y con el fin de apoyar plenamente a todos los habitantes de las tres colonias Okinawa, el Servicio Emigración del Japón construyó en la segunda colonia una Oficina Sucursal de Okinawa: un taller de reparación de maquinaria de ingeniería civil y vivienda para los empleados.

Imagen de la Oficina sucursal del Servicio Emigración del Japón y las viviendas de los empleados en construcción en la segunda colonia. Al fondo se ve los terrenos para la Estación Experimental de Ganadería (Foto tomada por el autor en 1970)

Cuando la selva virgen fue talada y se empezó a hacer construcciones, el lugar estaba plagado de pequeños mosquitos.

Lo llamaron "Jejene" porque era lo suficientemente pequeño como para pasar por la puerta mosquitera.

Ni siquiera me daba cuenta cuando me picaban. No sentía picazón de inmediato.

Sin embargo, la picazón que sentí después de un tiempo fue persistente.

Al principio me picaba durante 3 a 4 días después de regresar a Santa Cruz.

A medida que me acostumbré a esto, sentía menos picazón y la duración se hizo más corta.

Sin embargo, los visitantes de Japón la pasaron mal.

Justo cuando estábamos cenando juntos, les picaron la parte expuesta de la piel entre los calcetines y la ropa interior (steteco) y se les formó una roncha de color rojo brillante alrededor de la pierna.

Sin embargo, estas plagas rara vez son letales para los humanos.

Lo que más nos preocupaba era de un insecto llamado "insecto asesino" (T. cruzi), que mide menos de 3 centímetros de largo.

No solo en Bolivia, sino en toda América Central y del Sur, es un insecto que es fuente de la aterradora "enfermedad de Chagas", de la que se dice que es el "segundo SIDA".

A menudo se esconden en casas de adobe o de madera. Incluso en Santa Cruz, me quedé atónito cuando lo encontré pegado a la puerta mosquitera de mi casa.

Este insecto chupa la sangre mientras una persona duerme y luego defeca en el acto. El parásito fecal Trypanosoma cruzi invade a los humanos y causa la enfermedad de Chagas. Tiene un largo período de incubación y puede tardar décadas en desarrollarse, por lo que también se le conoce como la "enfermedad silenciosa". Si te enfermas, tu corazón se dañará.

A un okinawense de segunda generación que emigró de Japón antes de la guerra se le insertó un marcapasos en el corazón debido a esta enfermedad. Como la batería duraba un año, tenía que ir a un hospital en Sao Paulo todos los años para que le cambiaran la batería. Me dijo que recibió ayuda de la iglesia porque el costo era muy alto.

Actualmente, la Asociación Boliviana de Japón y la Sociedad de la Cruz Roja Japonesa patrocinan la prueba de esta enfermedad para los bolivianos que viven en Japón, me sorprende que algunas personas den positivo cada año.

Es comprensible que se diga que hay seis o siete millones de infectados en toda América del Sur.

La enfermedad contribuye a la baja esperanza de vida en América del Sur.

Es de particular interés recientemente lo que se dice sobre que el jugo de Acaí crudo y el jugo de caña de azúcar de que contienen estos patógenos.

Parece que debemos tener cuidado con los jugos crudos que se venden en las esquinas de las calles de América del Sur.

Criaturas venenosas

He experimentado acampar en la jungla varias veces.

Primero, cocinamos la cena en una fogata. A pesar de que era la cena, el vaso de sopa instantánea (cup ramen) que acababan de lanzar a la venta era el mejor banquete.

De vez en cuando, arrojábamos una ramita al agua estancada del río para que los peces salieran a la superficie creyendo de que se trataba de un insecto, luego les disparábamos con escopeta, y los pescados que capturábamos los ensartábamos en las ramas, los asábamos y comíamos.

El postre era una lata de melocotón. La lata en la que habíamos terminado de comer era de tamaño justo para llenar agua del río, echar café instantáneo y hacerlo hervir.

Luego colgar una hamaca entre los árboles y acostarnos con una pistola debajo del cuello.

No podíamos usar tiendas de campaña porque había peligro de que entren serpientes y escorpiones.

Cazando peces con escopetas (foto tomada por el autor en 1977)

La hamaca en la estación seca sin mosquitos era muy cómoda una vez que me acostumbré.

La brisa fresca que soplaba de vez en cuando me tranquilizaba, miraba hacia el cielo lleno de estrellas y me sentía muy pequeño ante la naturaleza eterna, y podía seguir con la mirada estrellas fugaces mientras me sorprendía la frecuencia con la que aparecían.

Sin embargo, eso no significa que no debas tener cuidado.

Uno de los elementos imprescindibles que se debe llevar al ingresar a la jungla es una inyección de suero antídoto para la picadura de un cascabel (serpiente de cascabel).

Las serpientes suelen huir con el sonido que hacemos, por lo que no nos muerden muy a menudo, salvo por mala suerte si nos las encontramos.

Aun así, no puedo tomarlo a la ligera porque a menudo veía varias serpientes venenosas. Por la noche, a veces se puede escuchar a la serpiente de cascabel moviendo la cola entre el canto de los insectos. Cuando necesitaba ir al baño, tomaba una rama con fuego de la fogata, la tiraba e iba allí a orinar.

La forma más fácil de ser picado por un escorpión es sin darse cuenta al ponerse los zapatos.

Varios de mis compañeros también han sufrido esto.

La regla de hierro es dar la vuelta a los zapatos y golpearlos antes de ponérselos.

Vi muchas arañas tarántulas venenosas, pero ninguno de mis compañeros fue picado por ellas.

Además de las pirañas, cuando ingresabas al río, debías tener cuidado con las rayas del río.

Si pisas una raya en el lecho fangoso del río, te atacará con el veneno mortal de su cola. Los lugareños la llamaban “Siete días”. Parece que, si te pican, sufrirás durante siete días.

Las hormigas rojas fueron las peores para mí.

En la oscuridad, no puedes verlas moviéndose en fila.

Dos veces he puesto mi pie en una fila. Me pregunto por qué duele tanto cuando una hormiga tan pequeña te muerde. Varias de ellas se arrastraron hacia arriba, así que salté involuntariamente con el dolor de ser picado en las puntas de mis pies. Luego, después de unos minutos, el área alrededor de mi garganta comenzó a picarme, y luego sentí una sensación punzante en todo el cuerpo, y sufrí toda la noche. Se dice que en la antigüedad se torturaba a la gente atándola a un árbol con hormigas de fuego. Pensé que, si me picaban docenas de ellas, moriría. La razón por la que apenas podía soportar ese ambiente era porque nací antes de la guerra.

Durante un tiempo después de la guerra, incluso la agricultura japonesa usaba heces humanas como fertilizante, por lo que había moscas, mosquitos, pulgas y piojos por todo Japón.

Esa es la generación que tenía DDT, un insecticida usado para deshacerse de los piojos, rociándolo en la cabeza en la escuela.

Epidemia

La malaria, la fiebre tifoidea y la disentería eran brotes frecuentes, pero por suerte nunca me enfermé. La hepatitis A era común entre los jóvenes.

En 1980, la mayoría de los ingenieros japoneses del equipo de avanzada que vinieron de Japón para construir el Aeropuerto Internacional Viru Viru en Santa Cruz, Bolivia, sufrieron hepatitis, lo que dificultó el avance del proyecto. Las verduras crudas y el agua suelen ser los culpables. "La hepatitis no se puede curar fácilmente con medicamentos y requiere reposo durante aproximadamente medio año, por lo que es un gran obstáculo para el progreso de los negocios. Las enfermedades venéreas que se pueden curar fácilmente con inyecciones son mucho mejor", lamentó el responsable. La persona a cargo dijo que las personas como yo que nacimos antes de 1945 estábamos bien.

Cuando le pregunté por qué, dijo que la generación que tenía lombrices intestinales en el estómago y a la que se les dio medicina para deshacerse de las lombrices en la escuela tenían anticuerpos.

De hecho, Santa Cruz hasta hace poco fue un terreno baldío, ni siquiera los bolivianos se atrevían a pisar allí debido a las diversas enfermedades y plagas.

Pero los japoneses entraron allí.

Comer todo lo que puedas atrapar

Si quemas las montañas y siembras yuca, puedes manejar los carbohidratos. El problema es la proteína animal. Se dice que al principio del asentamiento comían todo lo que podían pescar hasta que consiguieron dedicarse a la cría de pollos.

Pero he escuchado de algunas personas que no volvieron a dispararle al mono porque no era delicioso.

Sucedió cuando visité el Hospital Central de Okinawa. Una gran iguana entró en el jardín.

Dos enfermeras de lindo rostro la vieron y la persiguieron, diciendo: “Se ve deliciosa”. Se puede adivinar la situación alimentaria en los primeros días del asentamiento.

Cuando les pregunté, dijeron: “Sabe a pollo y es delicioso”.

Inesperadamente entendí la teoría de que los antepasados de las aves eran dinosaurios.

Tengo algo de experiencia con la carne de monte.

Cuando conducía mi Land Cruiser por la jungla de noche, vi un animal cruzar frente a mis faros y grité: “¡Es un elefante!” Era un oso hormiguero gigante con una nariz tan larga que uno pensaría que era un elefante, animal que no se podía encontrar en el continente sudamericano.

Solo una vez me han dado esta carne para probar en un campamento maderero.

Es carne oscura que está deshilachada como una lata de carne en conserva, era seca con poca grasa, y no podría decir que estaba delicioso ni podía hacer elogios.

Las palomas del monte y los ciervos eran un banquete. Los ciervos tienen un sabor suave y son adecuados para todos, pero son ágiles y no tan fáciles de atrapar.

Una vez, perseguimos un ciervo entre cuatro personas hasta la hierba poco profunda, y después de confirmar que se había escondido, lo acorralamos por todos lados, pero no pudimos encontrarlo. Aunque la planta tenía solo unos 15 centímetros de altura, no pudimos verlo. Cuando estreché el cerco, de repente saltó a unos 2 metros frente a mí, y escapó zigzagueando su cuerpo. Existía el riesgo de dispararle a un compañero si

Iguana criada en la vivienda de los empleados de la Oficina Sucursal de San Juan del Servicio Emigración del Japón (Foto tomada por el autor en 1970)

apretabas el gatillo innecesariamente.

La presa que finalmente atrapé fue llevada a un granjero en el bosque virgen y fue descuartizada y clasificada.

Vi a un niño meter rápidamente las pezuñas en el bolsillo mientras las cortaba, y cuando le pregunté al respecto, dijo que sabe mejor comerlo después de unos días, justo antes de que se eche a perder. Cuando se trata de gustos por aquí, ya no puedo seguir el ritmo.

Después de experimentar este tipo de vivencia, me di cuenta de que el acto de comer es matar a otros seres vivos.

Pensé que ese niño valoraba a los animales más que nosotros que solo comemos trozos pequeños cortados limpiamente.

Creo que el jochi es la carne de monte más deliciosa. Una vez, salí con mi familia a comer a una cabaña de vida silvestre en el río Yapacaní, a la entrada de la Colonia San Juan. Mi esposa dijo: "¡Delicioso, delicioso!" y comió hasta las sobras de mis hijos.

Sin embargo, cuando salí de la choza y vi el animal vivo, vomité todo lo que había comido.

Esto se debe a que un "jochi" es uno de los roedores más grandes del mundo.

El carpincho, que se alimenta principalmente de pastos junto al agua, es generalmente conocido como el roedor más grande del mundo, pero es un poco más pequeño y tiene una cara y una apariencia muy diferente.

Sin embargo, como carne de monte, es más apreciada que la carne de ciervo.

Así debería ser, y al igual que el cerdo ibérico, el jochi utiliza los frutos secos como alimento básico, por lo que una vez que lo comas, nunca lo olvidarás.

Se puede decir que la textura de su carne está entre el cerdo y el pollo. En particular, el "jochi pintado" con manchas en el cuerpo es el más delicioso.

Un equilibrio perfecto de carne y grasa. Cuando recoges la presa que has atrapado, es pesada comparado a su tamaño, probablemente porque tiene unos 3 centímetros de grasa subcutánea que le protege del frío y de los enemigos externos.

Para atrapar a este animal nocturno, además de colocar trampas, se dice que se espera pacientemente en un tablón en la rama superior de un árbol frutal.

Los cigarrillos que se venden en el mercado contienen saborizantes artificiales, por lo que se dice que si fumas las presas no se acercan porque son sensibles a su olor.

Pero se dice que cuando cazan, lo hacen sólo con el tabaco llamado Negro.

Parece que este es el mismo olor que cuando se produce un incendio forestal por lo que no hace desconfiar a la presa.

Cuando llegas debajo del árbol, utiliza una linterna y enciende iluminando sus ojos, al momento en que se queda paralizado, le disparas.

Sin embargo, los japoneses no pueden vivir solo de carne de monte, extrañan el pescado.

Para alguien como yo, que creció en Japón, país rodeado de mar por los cuatro costados, si no fuera por los peces, la nostalgia podría haberme

Foto superior: Cría de jochi pintado
Foto inferior: Su carne
En el "Diario del Che Guevara" está escrito que él también comió esta carne.
(Fotos tomadas por el autor en 1978)

destrozado la mente. Cuando vi fotos de comida en revistas femeninas, soñé con jureles y caballas.

Cuando le dije: “Te compraré lo que quieras”, a la esposa de un miembro del personal de la agencia en el área de reasentamiento que sufría de náuseas matutinas, ella me contestó: “Quiero calamares hervidos”, me vi en apuros.

Surubi (Foto tomada por el autor en 1969)

Aunque no son peces del mar, ambas colonias se beneficiaron del pescado de Río Grande y el Río Yapacani.

Un vecino del asentamiento de San Juan me dijo: "Decidí quedarme aquí por el río Yapacani", los peces atrapados en el río debieron aliviar mi nostalgia por la comida, y el verdadero placer de pescar me hizo olvidar por un momento las penas diarias.

Sin embargo, en la colonia Okinawa, ocurrió una tragedia cuando un pescador perdió accidentalmente su brazo mientras usaba dinamita para atrapar una gran cantidad de peces a la vez.

La captura más común es el bagre gigante llamado surubí. Algunos grandes son atados a palos y llevados por dos personas con la cola tocando el suelo.

En casa, mi esposa compró uno, lo molió y le agregó zanahorias y cebollas picadas para convertirlo en "Ganmodoki" (bocado japonés de pescado y verduras) y lo comimos. Esto frito también era delicioso.

Se volvió aún más delicioso cuando se hizo al estilo chino como "Shiromi zakana no ankake" (salsa de pescado blanco)

Cuando conseguí el pez Dorado, que tiene escamas doradas, no me importó el peligro de comer pescado de río crudo, lo comí porque anhelaba el sashimi. Tenía una textura y un sabor similar al del pez carpa crudo.

De esta manera, al comienzo del asentamiento, las personas se vieron obligadas a vivir una vida primitiva, incluso solo por la comida.

Los lugareños dijeron a algunos inmigrantes: "Si un pionero japonés se desarrolla en un lugar así, me pararé de manos y caminaré por las calles de Santa Cruz".

Cuando lo pienso, el desarrollo de la colonia San Juan como el "pueblo del arroz", y de la colonia Okinawa como el "pueblo del trigo", me parece un milagro.

Enfrentaron todo tipo de privaciones y desafiaron la feroz batalla de recuperación, siento admiración por el coraje y la fortaleza de la gente de la colonia que construyeron lo que hoy es uno de los principales graneros de Bolivia.

Área de inmigración japonesa confusa

Incidente Nisseiren

Por cierto, me enviaron a Bolivia en una misión secreta.

Era para cobrar las deudas denominadas "Bonos Viejos de San Juan" difíciles de cobrar. En la década de 1960, todos los agricultores del área de inmigración de San Juan, la mayoría de los cuales eran de la prefectura de Nagasaki, vivían de la producción de arroz.

Todavía no había tierras cultivables mecanizadas, y la agricultura de tala y quema era un método para incendiar bosques vírgenes y bosques regenerados, quemarlos, arrojar semillas de arroz de montaña entre tocones de árboles y enterrarlos, y cosechar solo las puntas. Este cultivo de arroz apenas cubría el sustento de los inmigrantes.

Con el objetivo de aumentar la eficiencia de las ventas del arroz producido, y evitar envíos cuando los precios del arroz son bajos inmediatamente después de la cosecha y vender a precios altos, la Cooperativa Agrícola de San Juan, recibió un préstamo de $ 63,000 de Japan Overseas Emigration Promotion Co., Ltd. (financiado en su totalidad por el

Campo virgen al momento de incendio como parte del proceso de la agricultura de tala y quema por agricultores de Okinawa (Foto tomada por el autor en 1969)

gobierno) para instalar un molino y secador de arroz. De manera similar, la Colonia Okinawa también cultivó 10 hectáreas de arroz por hogar, y el arroz fue el cultivo principal.

A partir de ahí se planteó la idea de hacer un uso efectivo de los molinos y secadores de arroz, y los inmigrantes de San Juan y Okinawa cooperaron y colaboraron, con el fin de mejorar el reconocimiento del nombre del arroz producido en Japón y ocupar firmemente el mercado. En noviembre de 1963, se estableció la Nisseiren (Federación Japonesa de venta de productos de inmigración).

Sin embargo, aunque esta era una idea espléndida, el plan era extremadamente descuidado e ingenuo.

La capacidad esencial de procesamiento de la secadora no podía manejar ni la mitad del arroz que seguía produciendo continuamente.

Además, el responsable de Nisseiren cometió el fatal error de embarcar el producto sin el secado adecuado, incapaz de soportar la presión y el descontento por la demora en la capacidad de procesamiento.

Como resultado de esto, el arroz producido por los japoneses pasó a ser evaluado como arroz inferior y el precio de venta siguió cayendo. Además, los agricultores que anticiparon que no podrían pulir y secar su arroz a tiempo se vieron obligados a usar molinos de arroz externos en lugar de pasar por la cooperativa con los Nisseiren, que se vino abajo después de 10 meses.

Los acontecimientos malos continúan. En medio de este revuelo se presentó un caso de malversación de dinero por parte de un empleado de la Cooperativa Agrícola San Juan. Los conflictos entre inmigrantes se intensificaron por el tema de la responsabilidad de dicho empleado y la responsabilidad de Nisseiren. La disputa en la colonia San Juan fue tan encarnizada que no solo más de la mitad de los exdirectores y sus familias regresaron a sus casas, sino que además la mayoría de las personas que tuvieron conflictos con los funcionarios regresaron a sus hogares o se mudaron a otro lugar decepcionados con el futuro del asentamiento.

En aquellos tiempos, aumentó el número de personas que abandonaron los asentamientos y se mudaron a otras áreas.

Para empezar de nuevo, las deudas de la Cooperativa Agrícola de San Juan hasta fines de noviembre de 1964 debían dividirse en partes iguales entre cada miembro y reservarse como una cuenta antigua. No había más remedio que intentar reconstruir el sindicato con una cuenta nueva. Esto se conoce como los "Bonos del Viejo San Juan".

Misión Secreta para cobrar deudas vencidas

No hay forma de que cada agricultor tenga la voluntad de pagar esa desagradable deuda.

La agencia no se apresuró a cobrar el dinero y dijo: "Está bien esperar hasta que el área del asentamiento se vuelva rica y abundante".

Sin embargo, surgió un verdadero problema.

No solo en Bolivia, sino también en Brasil, Argentina, Paraguay y República Dominicana, los inmigrantes que emigraron a tierras con infraestructura subdesarrollada debido a la política migratoria que fue criticada como "abandono" durante la caótica posguerra, se vieron obligados a luchar.

Como resultado, el cobro de los préstamos de la corporación fue desastrosa.

Fue el Ministerio de Finanzas de Japón en ese momento el que se sintió frustrado con el lento progreso del cobro de las deudas.

En un momento en que el poder nacional de Japón aún no era suficiente, ya no era posible aumentar el presupuesto de préstamos sin cobrar los préstamos que se habían otorgado antes con el dinero de los impuestos que el pueblo había dado con tanto esfuerzo.

Por otro lado, cada área de inmigración quería desesperadamente la inyección de un préstamo para salvarse del pésimo estado casi moribundo.

Sin embargo, el Ministerio de Finanzas impuso un obstáculo llamado "plan de aumento neto" que establecía que si en el "registro de cobro + X yen", el registro de cobro era cero, solo se podía prestar X yen. El más problemático de estos obstáculos fue el de la colonia San Juan, cuyas deudas fueron archivadas, incluso etiquetadas como "Bonos del Viejo San Juan".

Liquidar esta rígida relación deuda-crédito, aumentar la cobranza y aumentar al mismo tiempo la financiación. No se podía esperar el desarrollo del reasentamiento de San Juan a menos que cada agricultor fuera autosuficiente y se expandiera. Fue una orden indignante que me dijeran "Haga algo al respecto".

Sin embargo, decían que, si se hacía abiertamente, toda el área de inmigración se indignaría porque no estarían de acuerdo.

Antes de salir de Japón, Kenji Shiraishi, Gerente General del Departamento de Operaciones, me llamó en privado y me animó diciendo: "Hazlo en secreto, pero con lógica".

Pero ¿cómo haces para cobrar?

La mayoría de los agricultores todavía apenas podían ganarse la vida.

Además de eso, las condiciones de las carreteras eran malas e incluso el envío de productos agrícolas a menudo tenía problemas. El camino principal en el asentamiento de San Juan que tiene 36 kilómetros de largo se había enlodado debido a las fuertes lluvias. Camiones y tractores circulan por allí para transportar productos agrícolas, lo que generaba profundos surcos.

Lo problemático era que la colonia San Juan no podía manejar los caminos. Esto se debe a que las empresas madereras que habían entrado en su interior abrían caminos cargando madera pesada. Era común que

Camino del área compartida de la Colonia San Juan (Foto de la Oficina Sucursal San Juan en 1971)

ellos pasen por lugares que habían sido cerrados por ellos mismos a punta de pistola.

De la cría de aves de corral, que crecía como actividad principal en lugar del arroz de montaña, a menudo no se podía lograr el envío de los huevos debido a los caminos deteriorados, lo que provocaba que los huevos se pudrieran.

En un momento, un grupo de solicitantes del área de migrantes con banderas de esterillas (Mushiro) rodearon la oficina consular en la ciudad de Santa Cruz y la sucursal en señal de protesta.

La petición también contenía el significado de culpar ya que, aunque la situación económica y social en Japón no era buena después de la guerra, la antigua Federación de Asociaciones de Japón en el Extranjero promovía la inmigración sin un desarrollo de infraestructura adecuada, de esta manera querían culpar al Ministerio de Relaciones Exteriores y al gobierno japonés, quienes supervisaban la promoción de la inmigración, y buscar responsables.

Aunque todos sabíamos que "no había una solución rápida", la frustración que quedaba sin respuesta obligó a los representantes de cada uno de los distritos de la colonia a protestar.

Una vez, el jefe de la sucursal de la Agencia de Emigración en el Extranjero, Kenji Shiraishi, roció gasolina y prendió fuego a un camino en mal estado en el área de inmigración de San Juan por el sentimiento de impotencia y desesperación. "No sirve de nada hacer esto". Le replicó un funcionario. El Sr. Shiraishi estalló de rabia como un fuego.

El mismo Sr. Shiraishi, especialista en ingeniería civil agrícola, sabía mejor que nadie que hacer tal acción era inútil.

Pero, todos necesitaban una salida para esa frustración reprimida.

Si huyes sin hacer nada en un momento como este, quiere decir que se acabó. Nadie confiará en ti.

Lo más importante era preocuparse juntos, pensar juntos y de todos modos tomar alguna acción. He experimentado esto también.

En dicha época atendía a unas 20 peticiones de las personas de San Juan en la sucursal de la Agencia de Emigración en el Extranjero.

Realmente no sabía qué hacer, no había solución, pero no dejaba de atender a las personas que llegaban a solicitar ayuda. Ellos tenían que regresar a sus casas porque no iban a poder darles explicaciones.

Como último recurso se me ocurrió pedir a la Fuerza Aérea Boliviana que enviara un helicóptero para sacar los huevos.

Llamé al Sr. Osuna, un miembro del personal que había sido piloto de la Fuerza Aérea, y le pedí que llamara a la Fuerza Aérea en frente de todos los presentes.

La respuesta que recibió fue: "Idiota, ¿cuántos helicópteros crees que tiene la Fuerza Aérea?

¿Es posible enviar un helicóptero a un lugar así cuando solo tenemos dos?

Los miembros que estaban presentes para hacer la petición, al escuchar la conversación se fueron a casa con cara de alivio y resignación.

Operación Cumbre

En tal situación, fue realmente una tarea difícil cobrar la deuda.

Después de mucha deliberación, decidí llevar a cabo una política de recuperación que denominé en secreto "Operación Cumbre".

Aquellos que claramente tenían recursos financieros serían fuertemente presionados para que paguen, y aquellos que no los tenían serían persuadidos para que paguen, aunque sea una pequeña cantidad cada vez.

Para cobrar a la fuerza a los más influyentes de la comunidad, no podíamos dejar este trabajo en manos de los funcionarios de la Sucursal de San Juan de la Agencia de Emigración en el Extranjero que vivían en vivienda conjunta para empleados ya que todos ellos tenían una vida familiar.

Como autor de la idea, no tuve más remedio que asumir y desempeñar tal función.

No hace falta decir que hubo una fuerte reacción.

Cuando asistí a la Asamblea General de la Cooperativa de San Juan fui culpado durante todo el día, desde la mañana hasta la noche.

Sin embargo, estaba sorprendentemente tranquilo.

No se podría decir "no hubo desgobierno", porque si la posición hubiera sido al revés yo también hubiera gritado lo mismo o hubiera lanzado expresiones aún más fuertes o peores.

Sin embargo, la situación no se detuvo allí, las calumnias difamatorias en mi contra incluso llegaron a la sede principal en Tokio.

Sin embargo, sucedió que "el arte ayuda a uno mismo" (Dicho japonés que dice que las habilidades que uno tiene, ayudan a superar situaciones difíciles)

Yo era un yokozuna en la lucha de sumo juvenil, y durante el recreo del almuerzo en la escuela primaria, nunca perdí un combate eliminatorio y seguía luchando hasta que escuchaba la campana de inicio de clases del turno de la tarde. Cuando estaba en la escuela secundaria, hacía entrenamiento muscular con mancuernas y un tubo tirado por una carreta, y nadaba 6000 metros todos los días, así que confiaba en mi fuerza física.

En ese momento, el evento más popular en el Festival de San Juan fue el torneo de sumo, bajo la dirección del Sr. Tsukasa Kamata, un ex luchador de sumo (makushita), se creó un dohyo (espacio en el que se produce un combate de lucha de sumo), los alrededores se llenaron de muchos espectadores que querían ver el torneo.

Yo participé repentinamente y vencí a todos mis oponentes, y al final me enfrenté al Yokozuna (luchador de sumo) de San Juan y también lo vencí.

Los ojos de la audiencia estaban todos enfocados en el Sr. Kamata, instándolo a vengarse a quien derrotó a los jóvenes miembros de la comunidad.

En ese momento, el Sr. Kamata, que tenía casi 50 años, ya se había retirado como un yokozuna de San Juan, pero participó porque se sintió obligado a subir al ring.

Si has hecho sumo, lo sabes, en el momento en que luchas puedes sentir la habilidad de tu oponente.

Inmediatamente decidí: "No debo deshonrar la reputación de esta persona", y utilicé las tácticas de resistencia.

Nos separaron. El segundo tiempo terminó en una mala racha, y el árbitro, que vio la respiración del Sr. Kamata, terminó el partido dando empate.

Creo que el Sr. Kamata probablemente entendió mis sentimientos.

Sr. Tokuo Ikeda, también conocido como Buruike, líder del grupo de ingeniería civil me informó que el padre de Kamata estaba diciendo: "No pelees con Watanabe'".

No hace falta decir que estaba agradecido con el Sr. Kamata, quien era el jefe del grupo contrario a nuestra oficina.

Sin embargo, "Como no todo es bueno", sucedió algo completamente inesperado. Más temprano, en la Asamblea General de la Cooperativa Agrícola de San Juan, dije que fui el centro de ataques. Entiendo que no fue solo un ataque a mí persona ya que esto fue solo una excusa para mostrar la abrumadora insatisfacción de los comunarios con la administración de inmigración del gobierno japonés. Los comunarios que ahora son habitantes de la Colonia San Juan, antes de la salida de Japón, recibieron una explicación del personal de la Oficina de la Prefectura de la Asociación en el Extranjero, solo los beneficios de la inmigración, pero en realidad, la mayoría de las personas que vinieron a Bolivia estaban muy afectados por las heridas originadas de la enorme brecha existente entre lo que les dijeron o escucharon y lo que realmente vivieron. Aún no se habían recuperado de tales heridas.

En pocas palabras, todos albergaban en algún lugar de su corazón el resentimiento de "haber sido engañados por el gobierno", sin tener a dónde recurrir.

Como resultado, incluso aunque el presidente de la Asamblea General trató de continuar con los procedimientos sobre los temas de preocupación de la Cooperativa, no pudo contener la manifestación por la insatisfacción. La parte que recibía las quejas era el personal temporal de Tokio.

Al igual que un saco de boxeo, el estaba expuesto a ataques verbales durante todo el día, desde la mañana hasta la noche. Incluso cuando asistía como invitado a las reuniones, vi a algún asistente muy enojado levantar su machete hacia el techo.

Un día, cuando el jefe de la sucursal y yo fuimos a inspeccionar el área de inmigración de San Juan y estábamos a punto de despedirnos de la oficina de la cooperativa, ocurrió un incidente.

Un miembro del personal de la sucursal nos llevó al jefe de la sucursal y a mí al asiento trasero.

Luego, el Sr. Sadamu Miyahara, presidente de la Cooperativa, y el Sr. Tajima, gerente general, se acercaron a la puerta donde estaba yo, inclinando la cabeza me dijeron: "Gracias por su arduo trabajo".

Esta fue una clara y abierta expresión de amarga protesta contra el jefe del Servicio de Inmigración, el Sr. "U", quien nunca había asistido a una reunión general de la Cooperativa desde que asumió el cargo por temor a ser hostigado.

No hace falta decir que el rostro del jefe de la sección, el Sr. "U", que una vez se desempeñó como director de la Escuela de Aeronaves del Ejército, cambió repentinamente el color de su rostro.

Tal vez entendí algo mal, porque el Sr "U" dijo: "Watanabe está a cargo del préstamo, por lo que tiene más autoridad que el jefe de la sucursal", y anunció abiertamente que me destituiría de ese puesto y ordenaría que me trasladaran a otra oficina.

Me estaba preparando para mudarme con mi esposa a un nuevo rumbo, con la intención de transferirme tan pronto como recibiera la aprobación oficial de la sede. La persona a cargo de los asuntos generales se apresuró y ordenó al jefe de la Agencia de Emigración en el Extranjero Sr "U" que regresara a Japón, y también se canceló el aviso no oficial de transferencia hacia mi persona. Mantuve mi puesto.

Shosuke Suenaga, el nuevo jefe de Agencia de Emigración en el Extranjero dijo que estaba bien que las cosas fueran como antes.

No hice nada al respecto. Fue algo incomprensible, no tenía idea de quién había hecho que pasara esto.

Después de ello, la operación de la cumbre se desarrolló sin problemas y sin una resistencia fuerte.

En un banquete inmediatamente después de ingresar a la agencia, mi jefe, el Sr. Ryozo Nagata, quien se graduó de la academia militar (luego fue director de la oficina del primer ministro Morihiro Hosokawa), me dijo bromeando: "Hiciste esto con tu cuerpo, no con tu cabeza". Algo que comprobé por mí mismo.

De todos modos, hice muy poco.

Fueron los esfuerzos sinceros e incansables del Sr. Kiyoshi Sakaguchi y el Sr. Masato Kobayashi, quienes estaban a cargo del financiamiento en la oficina de San Juan, que ayudaron a que se lograra pagar casi la totalidad de la deuda y crear un flujo de fondos. La gente de la Colonia había comprendido que “a menos que paguen los bonos antiguos, no podrían recibir nuevos préstamos”.

Por cierto, Masato Kobayashi, también conocido como Mat-san, cursaba un año superior al mío en la escuela secundaria Nozawa Kita en la prefectura de Nagano. Mat-san era el jefe de barra y yo director del famoso Festival Deportivo poco Convencional de la escuela. Incluso en pleno invierno, Mat-san subía en la parte trasera de mi bicicleta con los pies descalzos, zuecos altos y una toalla colgada en la cintura.

Mat-san hizo todo lo posible por cooperar conmigo sin actuar como

Acera del camino del área compartida de la colonia San Juan de ahora
(Foto tomada por el autor en 2018)

alguien de un grado superior. Aún le estoy muy agradecido.

Es una pena que muriera joven de cáncer de estómago cuando estaba destinado en Brasilia.

Partió a los 42 años dejando hijos pequeños.

Como resultado de sus esfuerzos, pudimos más que triplicar el presupuesto del préstamo de 30 millones de yenes en 1969 a 100 millones de yenes en 1974.

Con este préstamo, la colonia San Juan pretendía diversificar sus operaciones agrícolas.

Aprovechando las abundantes precipitaciones, además del cultivo de arroz, se inició también el cultivo del arroz con cáscara, combinando cereales, ganadería, aves, frutas y hortalizas de forma equilibrada, transformándose en una forma de agricultura menos afectada por el clima y las condiciones económicas. Logrando una base económica estable.

Se construyó un puente sobre el río Yapacani, que alguna vez se pensó era el callejón sin salida de los habitantes. Se construyeron carreteras hacia las ciudades de la sierra, acortando la distancia a Cochabamba y La Paz, y contribuyendo a la ampliación de los canales de venta de productos agrícolas en la colonia San Juan.

A la sandía se le decía "Sandia japonesa", al Ponkan es "Mandarina japonesa", ya que, si se agregaba Japón después del nombre del producto, significaba alta calidad y era posible venderlo incluso si el precio era alto.

Para quienes conocían el pasado, la colonia de San Juan de hoy es una utopía.

Colonia Okinawa sufre desastres naturales

Inundaciones y sequías simultáneas

Por otro lado, los atrasos en el desarrollo de la colonia Okinawa se debía a desastres naturales.

Okinawa fue devuelta a Japón en mayo de 1972, pero cinco años antes, en julio de 1967, la colonia Okinawa fue transferida desde el Gobierno de Ryukyu y la Corporación de Emigración de Ultramar de Ryukyu a la Agencia de Emigración de Ultramar.

Para la gente de la colonia Okinawa, esto significó que la agencia administrativa responsable de enviarlos había desaparecido. A diferencia de San Juan, no tenía a quién quejarse.

El 5 de febrero de 1968, se estableció en la primera colonia la Oficina de Okinawa de la Agencia de Emigración en el Extranjero, Sucursal de Santa Cruz. Tres días después, el 8 de febrero, más de la mitad de la primera colonia (21.800 hectáreas) quedaron inundadas por la crecida del Río Grande.

Por otro lado, en la segunda y tercera colonia, la mayoría de los cultivos no pudieron ser cosechados debido a la severa sequía. Diferentes fenómenos ocurrieron simultáneamente.

Comprender esto requiere de una explicación.

En primer lugar, en cuanto a la topografía, el Río Grande cerca de la primera colonia Okinawa no tenía un malecón alto debido a que la diferencia de altura del nivel del río y de las orillas era mínima (1/1000) y los muros de contención eran muy bajos, por lo que cuando el nivel del agua sube fluía en forma serpenteante saliéndose de su cauce, inundando el área de reasentamiento.

A diferencia de las inundaciones en Japón, las corrientes de lodo no se precipitan de inmediato. Por esta razón, los residentes tienen suficiente tiempo para evacuar y el daño humano es poco.

Sin embargo, los charcos que se forman por todas partes no se secan durante mucho tiempo, e incluso después de secar, un lodo rojo cubre la capa superior del suelo.

Otro asentamiento japonés, San Juan, ubicado más cerca de las montañas que la colonia Okinawa, tiene una precipitación anual promedio de 1,850 mm, que es aproximadamente la misma precipitación anual de Japón.

El gran Río Grande, cuando su nivel del agua subía fluía en forma serpenteante saliéndose de su cauce (Foto tomada por el autor en 1970)

Mientras que la colonia Okinawa fluctuaba enormemente entre 500 mm a 1100 mm, y entre ellos, la colonia 3 sufría frecuentes sequías debido a sus escasas precipitaciones. Las nubes de lluvia con humedad pasan sobre los asentamientos sin causar lluvias.

Por cierto, el número máximo de días consecutivos sin lluvia en Okinawa entre 1966 y 1971 fue de unos 140 días (Publicado por la Agencia de Emigración en el Extranjero "Manual Agrícola Sudamericano").

Sin embargo, las nubes de lluvia entraron en contacto con el aire frío de la Cordillera de los Andes provocando que una gran cantidad de lluvia caiga al pie de las montañas.

Las aguas crecientes descendieron luego por el Río Grande inundando la colonia. Esto provocó inundaciones en la primera colonia y sequía en la segunda y tercera colonias al mismo tiempo.

Naturalmente, no había esperanza para el futuro de los inmigrantes, y había un flujo constante de personas que abandonaban las áreas de inmigración y se dispersaban y se trasladaban a Santa Cruz, Brasil, Argentina, Perú, Estados Unidos y Japón.

Gente determinada a no regresar

A pesar de tales circunstancias, había gente con la firme determinación de "hacer aquí lo que fuera necesario".

En particular, a partir de la conciencia de que los primeros inmigrantes que habían liderado la colonia en posiciones de liderazgo desde el asentamiento fueron seleccionados entre casi 4.000 solicitantes, necesitaban apoyo desesperadamente a pesar de que no podían esperar un apoyo fuerte. Estaba tratando de proteger a la colonia. Si bien la tasa de asentamiento general de los migrantes está por debajo del 10%, la tasa de asentamiento de los primeros inmigrantes y los inmigrantes del cuarto grupo, que tenían familias traídas por los primeros inmigrantes, se mantiene en el 15% incluso después de 50 años.

El segundo grupo de inmigrantes de Miyakojima junto al primer grupo, eran protagonistas indispensables para contar la historia de la colonia. La mayoría de ellos ya han fallecido, pero me gustaría presentar qué tipo de personas eran.

Primera colonia Okinawa afectada por las inundaciones (Foto tomada por el autor en 1970)

En primer lugar, me gustaría hablar de los hermanos Aniya.

Deben haber sobrevivido a la Batalla de Okinawa y las dificultades sucedidas en tierras de Cultivo de Uruma, "Qué personas más humildes y elegantes", deben haber pasado por muchas escenas de derramamiento de sangre. Esa fue mi primera impresión.

El hermano mayor Susumu fue alumno de Chohou Miyara quien era compositor y educador de la Escuela para Profesores de Okinawa conocido como el padre de la música de Okinawa.

Su esposa, Eiko, también se graduó de la Universidad de Ryukyu y desde el comienzo del asentamiento ambos fueron indispensables para el área de inmigración en el campo de la "literatura". Junto con su hermano menor Akira, hizo una gran contribución a los registros y preparación de documentos y archivos de la colonia, y la educación de los niños.

El hermano menor Akira, en su niñez, en plena guerra, durante una evacuación grupal de estudiantes abordó uno de los pequeños barcos que navegaba junto al "Tsushima Maru" que fueron hundidos por un ataque con torpedos de un submarino estadounidense muriendo unas 1.500 personas. Debido a que el barco en el que se encontraba no fue alcanzado

Aniya Susumu, Tomori Kinsaburo y el autor (1970)

por un torpedo, pudo escapar del desastre y evacuar a Kumamoto.

Después de la guerra, cuando regresó a Okinawa desde donde fue evacuado vio que su casa había sido incendiada durante la guerra y el lugar estaba llenó de escombros como partes de tanques y otros. Por esta razón, decidió emigrar con su hermano mayor Susumu a Bolivia.

La familia Aniya parece ser descendiente de funcionarios de alto rango de la dinastía Shuri, y su casa de antes de la guerra estaba ubicada debajo del castillo de Shuri, por lo que pudieron obtener leña durante un año de los árboles de su propiedad. Ambos hermanos salieron de la Colonia y se mudaron a la ciudad de Santa Cruz. Trabajaron en la sucursal de Santa Cruz de la Agencia de Migración al Exterior, y siempre desempeñaron el rol de "sabios" y de recepción de información de la colonia.

El hijo del Sr. Susumu dirigía un negocio de traducción y planificación de eventos, la hija mayor Etsuko Inoue, también está activa en Santa Cruz como secretaria general del Okinawa Kenjinkai. Uno de los hijos de Akira, Después de graduarse de la Universidad de Sao Paulo, estudió en una universidad nacional japonesa y se convirtió en profesor universitario. Actualmente, asiste a conferencias en todo el mundo como físico y está activo en el mundo académico.

Los descendientes de la familia Aniya han heredado el ADN y se desenvuelven exitosamente.

Cuando Oscar Nagamine Tameyasu tenía 10 años, él y su familia se establecieron en las tierras de cultivo de Uruma como primeros inmigrantes. Su hermana mayor es Eiko, la esposa de Susumu Aniya.

A pesar de crecer en un entorno pobre, Oscar Nagamine se convirtió en el primer inmigrante de la posguerra que se graduó en la Universidad Nacional René Moreno. Fue contratado por la sucursal del Banco do Brasil en Santa Cruz y luego transferido a Tokio cuando el Banco do Brasil abrió su sucursal en Tokio. También se desempeñó como presidente de World Uchinanchu Business Network (WUB).

El Sr. Hiroshi Kochi era maestro de escuela antes de mudarse a Bolivia. Proviene de Kadena-cho, donde el ejército estadounidense requisó el 82% de la tierra. Al final de la guerra, no todos los habitantes expresaron su pesar por tener que vivir en el 18% de la tierra del casco antiguo. Se sabe que el fruto de la cícada es venenoso y no se puede comer sin desintoxicación. Su frase favorita, un "Uchinanchu (okinawense) puede vivir mientras tenga una cícada", contó la historia de su increíble experiencia.

Siempre estaba tranquilo y sereno, observado objetivamente y poseía excelentes habilidades para los negocios. También tuvo mucho éxito en la agricultura. Durante el período fundacional de la Cooperativa Agrícola Colonia Okinawa (CAICO), se desempeñó como director y gerente. Incluso después de dejar su cargo, fue una persona de mérito que siguió al frente de la colonia como presidente de CAICO.

El primer y el segundo presidente de la Asociación Okinawa-Japón-Bolivia eran del segundo grupo de inmigrantes de Miyakojima

Tokuzen Touma, el primer presidente, trabajó en la sucursal de Miyako del gobierno de Ryukyu antes de inmigrar desde Japón. Su esposa Yoshiko, tenía una boutique en la ciudad de Hirara.

Creo que tuvieron seis hijos. Todas eran niñas, y todos los días Yoshiko llevaba y recogía en motocicleta a Tokuzen, quien estaba ocupado con los deberes oficiales de la colonia 1. En sus propias tierras de cultivo, utilizó trabajadores locales y realizaba la gestión agrícola ella sola.

El segundo presidente, el Sr. Kinzaburo Tomori, era un ex teniente del ejército y también era empleado de la sucursal de Miyako antes de migrar. Desarrollo el centro de la segunda colonia con sus propias manos.

Gensyou Nema era profesor en la Escuela Secundaria Agrícola y Forestal de Miyakojima. Genshin, su hijo mayor, fue un atleta que destacó en el salto alto y fue el primer inmigrante de la posguerra en convertirse en abogado.

Lo que estas personas tenían en común es el concepto de "construir un mundo nuevo con un futuro brillante para los jóvenes de Okinawa". Se dice que tuvieron el coraje y el sentido de la misión de lanzarse y apuntar a realizar el concepto sin renunciar nunca al sueño que tenía al principio.

Y, por último, el Sr. Tokusyou Miyagi.

Nunca había visto a una persona tan extraña. El Sr. Tokusyou amaba tanto la naturaleza y la agricultura que dijo: "Ya sea que obtenga ganancias o no, mientras me enfrento a los cultivos es la mejor opción para mí". Amaba a la gente y no tenía interés propio.

En lugar de ser un líder fuerte, era una persona que tenía una cualidad especial que convencía a la gente de que "Si ésta persona lo dice, no se puede evitar". Se asumió que él era el único que podía aglutinar el área de inmigración durante el período caótico, y fue designado como el primer presidente de CAICO.

Desde el principio, me dieron plena confianza diciendo: "Nos haremos responsables de los problemas en el área de inmigración, así que por favor haga Ud. de CAICO una de las cooperativas agrícolas líderes en Bolivia".

Cuando me designaron con esta misión, la mayoría de los miembros del directorio de CAICO insistieron en reducir el número de funcionarios de la cooperativa alegando que eso aumentaría el número de trabajadores y por ende los gastos, sin embargo, el presidente de la cooperativa Sr. Miyagi insistió: "Quiero asignar al menos cinco personas de apoyo para el Sr. Watanabe" para involucrarlos en el negocio de CAICO, Esto con la finalidad de desarrollar recursos humanos que liderarían el futuro de la Colonia Okinawa.

Así fue que me asignaron a Masayuki Kudaka, Kenji Taira, Genshin Nema, Tetsuo Kochi y Susana Toyama, excelentes jóvenes. La selección del presidente de la Cooperativa Sr. Miyagi fue correcta.

Cena del comité administrativo de CAICO. De izquierda a derecha: Yamashiro Yasunori, Tomori Kinsaburo(directores). En tercer lugar, Sr. Sekai Nishino, director de Okinawa Jigyosho, el autor, Kochi Hiroshi director y gerente, Kinyo Tatsumi Jefe del Comité de Vigilancia, Dr. Susumu Atsushi director del hospital Central Okinawa. (1971)

Al principio, los jóvenes que solo se excusaban por lo que no podían hacer evolucionaron gradualmente. Le pedí a Masayuki que estudiara en Memphis, Estados Unidos y obtuviera la certificación de clasificador de algodón. Más tarde se convirtió en gerente de CAICO. El Sr. Kenji fue enviado a estudiar contabilidad sindical, y el Sr. Genshin y el Sr. Tetsuo fueron enviados a estudiar administración sindical, utilizando el sistema de capacitación para hijos de inmigrantes extranjeros en Japón. Después de eso, Kenji Taira se convirtió en empresario, Genshin Nema se convirtió en abogado, Tetsuo Kochi se convirtió en consultor de gestión y Susana se convirtió en contadora pública certificada.

Por esta época, hubo reiteradas denuncias por parte de los medios de comunicación japonesa sobre el fracaso de la política migratoria del gobierno japonés, utilizando la expresión "personas abandonadas" para informar sobre la tragedia de los inmigrantes japoneses en varios puntos de América del Sur. Los asentamientos de América del Sur dieron la bienvenida al hecho de que atraería la atención y el presupuesto para apoyo y asistencia.

Sin embargo, el presidente de la cooperativa, Sr. Miyagi pensaba diferente.

"Todavía no hemos perdido la esperanza", "La cobertura que

En primera fila al lado derecho el gobernador de Okinawa, Sr. Yara, y a la izquierda guiándole el Sr. Tokusho Miyagi director de CAICO. Al lado derecho, de blanco, el autor (1973)

simplemente informa sobre la devastación solo hará que los familiares en Japón se preocupen innecesariamente y esto no tiene sentido", dijo a los reporteros rechazando la entrevista.

Pensé: "Es una persona increíble".

A primera vista, el Sr. Miyagi parecía ser un granjero anciano modesto y afable, pero a veces nos sorprendía su brillante perspicacia y lo llamábamos "Ibushi Gin no Tokusho-san", (Sr. Tokusho de plata empañada).

Pensé que encarnaba todas las virtudes del pueblo de Okinawa.

Cuando estaba con el Sr. Tokusho, hubo momentos en los que realmente sentí que "estaba caminando con un santo".

Decía: "Enterraré mis huesos aquí", me hizo sentir que no cambiaría ese sentimiento.

De esta manera, las personas que fueron seleccionadas como pioneros de la inmigración tenían tanta fuerza física como inteligencia, y todas eran personas que sobresalían en discernimiento.

Sin embargo, la realidad boliviana era dura, aunque tenían las habilidades necesarias para la emigración como la capacidad de adaptarse a una sociedad con idioma, maneras y costumbres diferente; incluso para quienes poseían las cualidades necesarias para la emigración como la autodisciplina para disipar la nostalgia que les asaltaría en tierra ajena.

Fomento de la ganadería de carne

Incluso en medio de una cadena de desastres quería seguir apoyando a quienes dan lo mejor de sí y no pierden la esperanza de sobrevivir aquí a toda costa.

Por lo tanto, anuncié públicamente que daría nuevos préstamos a aquellos que mostraran sinceridad en pagar, aunque sea un poco, aunque no fuera el monto total del préstamo.

Sin embargo, debido a la sequía, no se podía esperar la cosecha de arroz y otros cultivos.

Por esta razón, en lugar de cultivos agrícolas, la política se cambió a pastoreo de ganado vacuno, que podía criarse con pastos y malezas.

Escuché decir a los doctores Susumu Atsushi y Hiroshi Ogasawara del Hospital Central de Okinawa: “La cirugía aquí es aterradora”. También escuché que, “debido a una nutrición deficiente, incluso una simple apendicetomía puede causar una caída drástica de la presión arterial”.

Se pensó que la producción de la leche ayudaría a mejorar el estado nutricional de las mujeres y niños. Por ello, financiamos la compra de 20 crías de vacas. Suponiendo una tasa de fecundidad del 80%, se esperaban 16 nacimientos.

Si el sexo de los terneros nacidos es 50/50, se supone que serán 8 hembras y 8 machos. Los toros pueden engordarse y venderse como ganado después de un año. Este dinero se podía asignar en parte de los fondos agrícolas y gastos de manutención.

Quedarían ocho vacas hembras para cría, y el plan era aumentar el número de vacas año tras año.

De hecho, había un precedente para este plan. Kishun Tamashiro de la segunda colonia aumentó pacientemente la cantidad de ganado de esta manera y estableció una base económica sólida a través de la gestión del rancho sin pérdidas por la sequía.

Traté de difundir esto en la colonia Okinawa como un caso modelo.

Transporte de dinero portando pistola

Naturalmente, la política de otorgar nuevos préstamos, si mostraban responsabilidad en la devolución del dinero prestado paulatinamente aumentaría la cantidad y la frecuencia de los préstamos.

Ser jefe encargado de préstamos para la Oficina de Santa Cruz del Servicio de Migración Internacional significaba transportar personalmente dinero en efectivo y entregarlo directamente a todos y cada uno de los inmigrantes que solicitaron el préstamo.

No había bancos en la colonia. No se aceptaban cheques y las transacciones en efectivo eran el único medio fiable. Naturalmente, tuvimos que asumir la posibilidad de ser atacados mientras transportábamos dinero en efectivo.

Era un trabajo extremadamente peligroso. Dado que no existía comunicación telefónica entre la sucursal y la oficina de la colonia, nos comunicamos mediante un sistema inalámbrico, por eso preparé una tabla de números aleatorios para que mi viaje de negocios con dinero en efectivo pasara desapercibido.

Mi primera hija jugando junto a las becerras de la Colonia Okinawa adquiridas con los nuevos préstamos. (Foto tomada por el autor en 1970)

Había tres tipos de tablas de números aleatorios, A, B y C. Si no llegábamos a tiempo, se suponía que la oficina enviaría un grupo para investigar qué sucedió.

Pero esta era una ayuda que no era muy efectiva.

En la colonia, todas las transacciones, como la compra de ganado, tenían como premisa el financiamiento de la Agencia de Emigración en el Extranjero.

Como resultado, cuando era inminente una transacción, la comunidad local conocía fácilmente la fecha y hora en que se haría la entrega del préstamo en efectivo. Si te atacaban, aunque llegue el grupo para investigar qué sucedió, solo podrían confirmar lo que había pasado.

Y el problema era que la inflación era tan alta que el valor del dinero cayó y se necesitaba una gran cantidad de billetes. Dado que no había garantía de que los billetes estén disponibles el día del préstamo, el día anterior se debía preparar una gran cantidad de billetes bien empaquetados en dos o tres sacos de yute.

Cerré la entrada de la sucursal, cerré la habitación que creí más segura y dormí con un colega del personal usando un saco de yute como almohada.

Me fui a dormir con una pistola junto a mi almohada para poder hacer frente a un robo.

Salí a la mañana siguiente, y cuando llegué a la colonia, fui a la oficina de la cooperativa agrícola. Los billetes se apilaron en el escritorio de la habitación, se invitó uno por uno a las personas a pasar a la habitación, se firmó el contrato y se entregó el efectivo.

Mantuve la pistola al alcance en todo momento, e hice que el colega que me acompañaba se escondiera detrás de la puerta de entrada con la pistola.

Me alegra no poder decirlo con certeza, pero una vez mientras conducía un coche cargado de dinero en efectivo escuché un sonido agudo de "silbido" en mi oído desde una de las ventanas que estaba abierta.

Creo que no era el sonido de las alas de un insecto, sino el sonido de una bala rozando.

En ese momento vivía sin ningún apoyo, creyendo que "algo me protegía".

Había peligro acechando por todas partes, y había cosas que no podía hacer si no pensaba así.

Cada vez que iba y venía entre la sucursal de Santa Cruz y la colonia, veía los restos de un auto accidentado al costado de la carretera.

La mayoría eran camiones que transportan caña de azúcar. La caña de azúcar pierde su contenido de azúcar con el tiempo después de ser cosechada. El precio de transacción está determinado por el contenido de la sacarosa, por lo que los conductores hacían funcionar sus camiones durante la noche para evitar que los precios bajen. La mayoría de los conductores mascaban hojas de coca para quitarse el sueño ya que apenas habían dormido.

Un camión fuera de control extremadamente peligroso iba y venía con frecuencia en la carretera.

Un carro del Municipio de San Juan también fue impactado, muriendo tres personas. El automóvil en el que viajaba un colega del Servicio de Emigración en el Extranjero también fue golpeado de frente por un camión de este tipo.

La esposa, que estaba en el asiento al lado del conductor, debe haber estado protegiendo a su bebé de un año.

El bebé estaba a salvo e ileso, pero la esposa murió instantáneamente.

Como el esposo también resultó gravemente herido, mantuvimos al bebé en mi casa hasta que le dieron de alta del hospital.

Cuando aparecía el riesgo de daños por inundación, era necesario viajar en un avión Cessna para inspeccionar el estado del nivel del agua repitiendo el vuelo acrobático justo por encima de la superficie del agua del Río Grande.

Tenía que informar los resultados de la inspección. Para ello escribí el informe sobre la situación de reconocimiento del nivel de agua en un saco de yute, le puse arena a modo de peso y lo dejé caer en el patio de la Colonia Okinawa 1 mientras todos miraban con ansiedad como dábamos vueltas en el cielo. Esto era para informar y tomar la decisión de mover o no el ganado.

Nadie quería hacer este trabajo. Así que se convirtió en mi deber.

En ese tiempo en Bolivia las naves aéreas de la Compañía Lloyd eran las únicas que volaban como vuelo regular. Cuando tenía que viajar a la ciudad de La Paz, siempre tenía que tomar dicho vuelo. Sin embargo, esta compañía era famosa por no tener el presupuesto suficiente para el mantenimiento de las aeronaves. Para colmo, la Compañía Boeing hizo público en la prensa que "Boeing no se hacía responsable en caso de accidentes de los vuelos de la Compañía Lloyd Aéreo Boliviano por incumplir las reiteradas recomendaciones" No había otra opción, tenía que viajar en dicho vuelo, había trabajo por el que tenía que subir al avión.

La colonia San Juan pudo manejar préstamos en efectivo en una sola oficina cooperativa agrícola, pero en el caso de la colonia Okinawa fue difícil porque se tuvo que ir a la oficina agrícola que había en la primera, segunda y tercera colonia. En un viaje de negocios se hacían 50 préstamos y en ocasiones se hacían hasta 80 préstamos.

Después de recorrer las colonias 1, 2 y 3 en un automóvil cargado con una gran cantidad de billetes y terminar los préstamos a los agricultores en los tres lugares, la tensión que había hasta ese momento se alivió repentinamente.

Al mismo tiempo, se extiende la alegría de haber distribuido con éxito el efectivo. Por esta razón, hubo algo que decidí hacer de camino a casa. Estacioné mi auto en una carretera desierta con nada más que la selva virgen, apunté la pistola que llevaba en caso de robo y disparé todas las balas al aire. Esto se convirtió en un ritual regular.

Solicitud de investigación ultra secreta de un cónsul

Creo que fue alrededor de abril de 1971, después de la temporada de lluvias.

El cónsul Nishi Yoshigoro me informó que había algo que quería discutir en privado.

La Oficina Consular de Santa Cruz recibía muchas solicitudes de asistencia pública de los habitantes de la colonia Okinawa y no sabía cómo reducir la población aplicable.

Como yo era el encargado de préstamos para el Servicio de Inmigración, el cónsul pensó que yo podía visitar fácilmente cualquier familia.

A pedido del cónsul, emprendí una investigación confidencial.

En 1968 azotó una inundación sin precedentes y una grave sequía.

Familias con mujeres jóvenes enviaron a sus hijas a trabajar a Brasil.

Trabajaban duro desde la mañana hasta la noche en la fábrica de ropa sin tomar un descanso para almorzar, y enviar el dinero ganado a sus familias en la colonia.

También ocurrieron incidentes relacionados con la pobreza.

Cuando pasé por la oficina sindical de la colonia 1, había un reporte de un caso de asesinato.

Fui directamente al lugar con el personal de la Cooperativa. Al final de un ramal de la carretera encontramos en el asiento del conductor de un camión pequeño a un migrante con la cabeza hacia abajo quien había muerto de un disparo. Insté a los dirigentes de la Cooperativa a buscar y traer a la policía.

Cuatro horas después, llegaron los detectives.

Yo me quede solo en el lugar hablando con un cadáver en medio del bosque por donde nadie pasaba.

"¿Qué clase de esperanza tenías cuando saliste del puerto de tu ciudad natal Naha?" "¿Qué sentiste al llegar a Bolivia, viendo la gran diferencia entre oír y ver?" "¿Tomaste alguna determinación sin pesar en las consecuencias?" "¿Cuál fue la causa del asesinato?"

Según las investigaciones se dijo que se desconocía la causa exacta pero tal vez al lugar al que fue para ganar dinero fácil resultó ser un trabajo ilegal relacionado con la cocaína. Y fue allí donde quedó atrapado metiéndose en problemas.

En la temporada de lluvias de 1970-71, no volvió a llover en la Colonia Okinawa.

Una sensación de desesperanza nació en los corazones de las personas, que decían: "No puedo esperar más".

Como cuando se caen los dientes, la gente salían una tras otra del área de inmigración. Personas a las que les queda algo de dinero extra, como quienes recibían remesas de sus parientes japoneses, eran los que decidieron cambiar el rumbo de sus vidas.

Las personas que no podían irse, solicitaban asistencia social.

Una familia de la tercera colonia sembró 10 hectáreas de arroz, pero no tuvo cosecha alguna. Sólo para estar seguro, revisé el almacén.

En una esquina del gran almacén, solo había un saco de yute casi vacío.

Me quedé atónito cuando miré dentro del saco y solo había en el fondo una pequeña espiga de arroz.

Cinco hijos pequeños chupaban caña de azúcar seca. La hija de 17 años estaba desnutrida y su rostro se veía morado cuando se exponía directamente a la luz solar. Cuidamos temporalmente de la hija mayor en nuestra casa.

Sin embargo, después de un tiempo, la hija mayor recibió la noticia de que su padre había muerto.

El padre cazaba de noche para conseguir comida, se dice que se adentró en el bosque virgen detrás de las tierras de cultivo.

Probablemente trepó a un árbol para esperar a los animales salvajes.

Se dice que cayó accidentalmente del árbol, y la escopeta se disparó sola, dijeron que se pegó un tiro en el estómago.

Ver a la hija mayor recibir la noticia, no es un asunto tan simple como el sentimiento de la compasión. "¿Hasta dónde el destino tendrá que atormentar a la gente de Okinawa para que esté satisfecho? Un temblor parecido a una ira intensa recorrió mi cuerpo.

Hacia la agricultura a gran escala

Aunque era la persona responsable del préstamo, el préstamo para activar la ganadería en la colonia Okinawa era insuficiente debido a que existía una gran cantidad de agricultores objetivo del préstamo, por lo que lo que le correspondía a cada hogar era inevitablemente pequeño. No tiene sentido que se haya impulsado el emprendimiento que supuestamente iba a revivir y reactivar el asentamiento. Mi corazón se llenó de frustración por no poder hacerlo.

En esos tiempos en la colonia no solo enviaban a sus hijas a trabajar a Brasil, si no también, cada vez más padres iban a las granjas de algodón cercanas a recoger algodón para ganarse la vida. Estas acciones eran contrarias al anhelo que tenían al llegar a Bolivia de convertirse en grandes propietarios de enormes granjas.

Sin embargo, inesperadamente surgieron buenas noticias también.

"El algodón tolerante a la sequía crecía bien y el precio de venta era bueno, por lo que la fábrica parece estar ganando mucho dinero". Hubo entre los habitantes de la colonia un repentino aumento en el interés por el cultivo del algodón. En respuesta, el Servicio de Inmigración también comenzó a recopilar información sobre el cultivo del algodón.

Bajo la dirección del Sr. Kiyotada Miyagawa, director de la Estación Experimental Agrícola de San Juan, y el Sr. Kensuke Yusa, dos ingenieros agrícolas, comenzaron los preparativos para el cultivo de prueba de algodón. Por otro lado, decidimos investigar sobre la financiación para la construcción de la planta procesadora y comercialización del algodón, como adquirir los fondos para la compra de la maquinaria necesaria para las labores agrícolas y los gastos relacionados con las ventas.

Le pedí al cónsul Nishi Yoshigoroo que invité al dueño de la única finca algodonera a la que habían ido a trabajar los inmigrantes a una fiesta para celebrar el cumpleaños del emperador Hirohito, y ahí le pedí su cooperación en la recolección de información y procesamiento del algodón experimental.

El algodón se cosecha quitando el polvo adherido, las hojas y las ramitas de las flores, luego se quita la semilla y se separan las fibras. Además, no se puede comercializar a menos que se comprima con una prensa potente y se envuelva con cinturones de hierro como un fardo (embalaje). La introducción de una planta de máquinas desmotadoras, que es una instalación a gran escala para la comercialización del algodón, fue esencial para el negocio algodonero.

Una encuesta reveló que la planta necesitaba $400,000 para la maquinaria.

Un tractor grande fabricado por John Deere en Estados Unidos costaba en ese momento 4.000 dólares, por lo que equivalía a 100 de ellos. Resultó que requería una gran inversión nunca experimentada.

Además de la construcción de fábricas y almacenes, se calculó que sería necesario cultivar unas 3.000 hectáreas de algodón para asegurar el ritmo de operación para que esta planta sea rentable.

El costo de crear una vasta tierra de cultivo mecanizada para ese propósito, la introducción de los tractores necesarios para la labranza y la desinfección, y el costo total de la siembra, desinfección y cosecha ascendería a aproximadamente a la espantosa cifra de 7 mil millones de yenes en valor monetario actual. Creamos una proyección de pérdidas y ganancias para todo el negocio y lo proporcionamos a la colonia Okinawa.

Para que la colonia planee y ejecute este gran proyecto, se decidió que era necesaria la fundación de una organización ambigua que combine las características de las organizaciones económicas cooperativas únicas e independientes de Okinawa 1, 2 y 3 y que también pueda cumplir con la función de administración de asuntos locales de la comunidad. Así se decidió establecer una organización económica con personalidad jurídica única y que además cubriera todos los trabajos relacionados con los ámbitos de la inmigración. Así nació la Cooperativa Agrícola Integral Colonia Okinawa (CAICO).

El Estatuto lo redactamos conjuntamente por el Sr. Genshin Nema, quien era un aspirante a abogado y asistió a la facultad de derecho en la Universidad René Moreno, y fue el mismo Sr. Genshin Nema quien nombró a la Cooperativa como CAICO.

El Sr. Miyagawa, jefe de la finca experimental de San Juan, quien me dio mucha orientación durante el cultivo experimental del algodón, y que luego fue líder del proyecto en el centro tecnológico de producción de hortalizas de JICA en Perú, en 1991 fue asesinado a tiros junto con dos colegas por un grupo terrorista de oposición al presidente Fujimori.

Ejecutivos de la fábrica desmotadora de algodón y el autor y su esposa, en la fiesta de cumpleaños del Emperador Showa (en la residencia oficial del cónsul en 1971)

La primera colonia Okinawa cubierta de agua (foto tomada por el autor en 1970)

Camión atascado en los surcos y los sacos de arroz puestos en la carretera porque no podían ser transportados. (Distrito de Yamato de la colonia San Juan) (Foto tomada por el autor en 1970)

Parte 4

Plan de Recuperación de la Colonia Okinawa

Cooperativa Agrícola Integral Colonia Okinawa

Inicio de CAICO

El interés por el algodón nace cuando la gente de la Colonia Okinawa iba a trabajar diariamente para ganar dinero recogiendo algodón en los campos de cultivo aledaños. Aunque se dio inició al cultivo de prueba, en lo que respecta a la comercialización, a pesar de la escala del proyecto, no había un buen desempeño. Todo era manual.

Para proceder con el negocio del algodón era fundamental contar con una desmotadora para retirar la basura del algodón cosechado, separar la semilla del algodón, comprimirla y envolverla con correas de hierro para convertirla en un producto.

Aunque se estableció la Cooperativa Agrícola y Ganadera Integral de la Colonia Okinawa (CAICO), para comprar una planta de desmotado de 400.000 dólares y pagar el préstamo, la propia planta de desmotado operada directamente, tenía que ser rentable.

Para ello, era un requisito indispensable la cantidad del algodón cosechado para que la planta funcione satisfactoriamente.

Por supuesto, la Cooperativa requería que los socios cultiven un área donde puedan esperar una cierta cantidad de cosecha.

Por otro lado, los socios de la cooperativa debían preparar tierras de cultivo para la agricultura mecanizada, comprar equipo agrícola y pedir prestados fondos a la Agencia Emigración de Japón y a los bancos.

Se invertiría un total de 1,5 millones de dólares, incluidos 600,000 dólares para tierras de cultivo mecanizadas, 500,000 dólares para tractores y sus accesorios y 400,000 dólares para fondos agrícolas. En aquella época era una cantidad asombrosa de dinero. Sumando 500,000 dólares por el costo de la planta desmotadora de algodón y los gastos operativos de CAICO, el costo del negocio del algodón aumentó a 2 millones de dólares. Ni la cooperativa agrícola ni los agricultores tenían una cantidad de dinero tan grande.

El tipo de cambio en ese momento era de 350 yenes por 1 dólar, y 2 millones de dólares eran 700 millones de yenes. Ahora los precios de la tarifa mínima de un viaje en tren, el salario inicial de un graduado universitario y el precio del arroz blanco son casi diez veces más altos que hace 50 años.

En otras palabras, aplicado a los precios actuales, equivalía a 7 mil millones de yenes, una cifra que estremecía a la exhausta colonia.

También el emprendimiento significaba iniciar desde un estado económico igual a cero.

Además, hasta ese momento, la Cooperativa Agrícola Colonia Okinawa no había adquirido la personería jurídica, ni era reconocida como una organización económica responsable por las instituciones financieras locales.

E incluso si la importación del equipamiento de la planta dependía del préstamo del Export-Import Bank de los Estados Unidos, casi no se disponía fondos para el pago inicial del préstamo.

Para ello decidimos confiar en el préstamo de la Agencia Emigración del Japón.

Primero, solicitamos un préstamo de 50 millones de yenes para iniciar el negocio del algodón en la sede principal de la Agencia de Emigración de Japón. Esta cantidad era menos de una décima parte de los fondos totales requeridos por la cooperativa y los agricultores.

Sin embargo, se determinó que, aunque pidiéramos más financiamiento, no podríamos conseguirlo.

Esto se debe a que incluso esta cantidad estaba fuera de lo común para un monto de préstamo en ese momento.

El presupuesto total del préstamo para cuatro cooperativas agrícolas y más de 300 fincas en los dos asentamientos de San Juan y Okinawa fue de 30 millones de yenes. Prestar una cantidad que supera con creces dicha cifra a un solo proyecto es un caso excepcional. Era una época en que la salida de divisas estaba estrictamente controlada por la Ley de Control de

Cambios y Comercio Exterior.

Por esta razón, la Agencia de Emigración de Japón no podía decidir por sí sola. Incluso la aprobación del Ministerio de Relaciones Exteriores, autoridad de control, no era suficiente, se convirtió en un asunto que requería la aprobación del Ministerio de Finanzas.

Era un préstamo inusualmente grande y, a pesar que al inicio solo se debía pagar los intereses, el Ministerio de Finanzas lo aprobó.

Creo que "la suerte estaba de nuestro lado".

En el momento de la solicitud, la devolución de la Prefectura de Okinawa a Japón en 1972 estaba a la vuelta de la esquina.

Creo que funcionó la conciencia masiva de que la tragedia de los okinawenses que viven y luchan en el extranjero no podía ser ignorada.

Aunque el préstamo fue aprobado, el Ministerio de Hacienda puso una condición.

Se trataba de "añadir a la cooperativa a personas idóneas para aumentar la eficacia del préstamo". Ese rol me tocó a mí

Era un joven de 29 años no considerado como una "persona idónea".

Cuando escuché del jefe de la sucursal Sr. Suenaga que era el resultado de una discusión con la jefatura principal, me sorprendió mucho.

De esta forma, mientras estuve a cargo del financiamiento de la Agencia de Migración al Extranjero sucursal Santa Cruz, tuve que hacerme cargo de la oficina de CAICO, que se encontraba a 10 minutos en auto desde la sucursal.

La oficina de la organización estaba ubicada 1 km al sur de la plaza principal en cuyo centro se encuentra la catedral. Del otro lado, 1 km al norte, estaba el edificio de la Cooperativa de Okinawa.

El edificio era tan antiguo que crecían plantas en el techo y en el piso de tierra. Sus instalaciones habían sido utilizadas como depósito para una curtiduría comprada por Seiki Uehara, el primer Director de la Corporación de Emigración de Ultramar de Ryukyu en Bolivia. Sin embargo, la gente de la Prefectura de Okinawa usó este lugar como base para el comercio de productos agrícolas producidos en Okinawa y como alojamiento con camas alineadas en el piso de tierra, a pesar de todo, el edificio jugaba un papel importante en forjar amistades entre los que frecuentaban.

Esta era la oficina de CAICO.

En los días lluviosos, filtraba mucha agua, así que tenía que mover el escritorio sobre el piso de tierra aquí y allá para evitar que el agua los moje.

Hoy se ha convertido en el centro de la ciudad, y el edificio es tan espléndido que en el primer piso se instaló un supermercado, se puede decir que Seiki Uehara tuvo visión de futuro. Por cierto, el Sr. Seiki Uehara, que era empleado de la Corporación de Emigración al Extranjero de Ryukyu, se convirtió en empleado de la Corporación de Emigración al Extranjero en términos de asuntos de personal. Se le ordenó al Sr. Uehara regresar y me enviaron a Bolivia para reemplazarlo.

Mi adscripción a CAICO no fue bien recibida desde el principio a excepción de Tokusyo Miyagi, Presidente de la Cooperativa. Aunque dejé la Corporación de Emigración en el Extranjero de Ryukyu y me transfirieron a la Agencia de Emigración en el Extranjero, los inmigrantes se mostraron escépticos sobre "cuánto apoyo recibirían". También había cierta antipatía hacia la persona que llegaba por considerarla un cuidador del dinero y un joven autoritario.

Una persona se acercó a verme, tal vez pensando "¿Qué tipo de persona es?".

La oficina en la Colonia Okinawa de la sucursal de Santa Cruz (JICA) se ubicó inicialmente en la Colonia No. 1, pero luego se trasladó a la Colonia No. 2, que se encuentra en el centro de toda el área de inmigración.

Dado que la oficina está a unos 120 kilómetros de la sucursal, cuando iba de viaje de negocios, solía dormir en el dormitorio de la oficina.

En las inmediaciones de la oficina, también estaba la oficina de la Cooperativa Agrícola de la segunda colonia.

En ese entonces, el Presidente de la Cooperativa Agrícola de la Segunda Colonia era Kinsaburo Tomori, a quien le llamaban el "Emperador".

Entre los oficiales, había muchas personas bromistas como guardaespaldas del Sr. Tomori, como Koki Yamashiro, Teitoku Uechi y Kamezo Ishiki.

En una ocasión, cuando estaba durmiendo, me despertó el sonido de alguien tocando la puerta.

Un miembro de la cooperativa había venido para invitarme a beber.

Cuando me llamaron, todos los oficiales estaban reunidos bajo la lámpara.

Estaban en medio de una borrachera con la camisa mojada de sudor mientras eran picados por los mosquitos.

En medio del asiento se colocó una lata cuadrada de licor con 99% de alcohol y la bebían después de mezclarla con agua y exprimir limón. Me hicieron beber mucho.

Cuando hablé sobre el futuro de la colonia, me respondieron: "No queremos escuchar los sueños de los jóvenes que viven de los impuestos y regresarán a Japón en unos años". Y como yo tenía la férrea voluntad de no perder, se convirtió en una discusión.

Al final, llegó al punto en que me dijeron: "¡Fuera!" Cuando eso sucedió, el jefe de la cooperativa, el Sr. Tomori, un ex teniente del Ejército, intervino poniendo orden y punto final.

Se dice que, si algo así sucede durante tres veces seguidas, los hombres se convierten en buenos amigos. Fue una entrevista de trabajo y una prueba dura para mí.

El Sr. Tomori me prestó una novela histórica sobre Okinawa para que pudiera aprender sobre la historia y los sentimientos de las personas de Okinawa.

A menudo visitaba la casa del Sr. Tomori.

Estaba allí para escuchar su opinión franca y sincera sobre las políticas de la Agencia de Emigración de Japón.

Me decía cosas como "Eres un Uchinanchu. De ahora en adelante, llámate Hideki Toguchi". Afortunadamente, construimos un fuerte vínculo de confianza entre ambos.

Una cosa que me molestó un poco fue cuando recibí un paquete del Sr. Tomori, que contenía un pollo vivo con las patas atadas.

Angustia por falta de condiciones de préstamo

La Sede de la Agencia de Emigración en el Extranjero nos informó que estaban listos para enviar un préstamo de 138,000 dólares, equivalente al pago inicial de la planta desmotadora de algodón que introdujo la Cooperativa Agrícola Colonia Okinawa (CAICO).

En el caso de los préstamos, la empresa no suele prestar todos los fondos necesarios, y siempre se necesita fondos propios.

En la solicitud de préstamo de CAICO, se consignaron 40,000 dólares estadounidenses como capital para el establecimiento de la cooperativa, que se consideró autofinanciada. Por lo tanto, les pedí que hicieran una asamblea general de CAICO, depositaran la inversión y abrieran una cuenta bancaria.

Sin embargo, la cooperativa respondió que no podrían reunir el dinero.

De la colonia 1, los señores Tokusyo Miyagi presidente de la cooperativa, Hiroshi Kochi director y gerente, Kazuo Oshiro, Director, Tatsumi Kinjo, Inspector Jefe, y los directores Tokuzen Toma y Yasunori Yamashiro. De la colonia 2, creo que estaban el vicepresidente Koki Yamashiro, Kinsaburo Tomori y Teitoku Uechi (todos ellos eran colonos de Uruma), y de la colonia 3, creo que estaban el director Yukufumi Nakamura y el Auditor Kiyoshi Miyazato.

Cuando les pregunté: "¿Cuánto le gustaría reunir?", el inspector jefe Kinjo, quien fue oficial de la policía especial, dijo en un tono que podría interpretarse tanto como enfado como desdeño: "El área de inmigración está agotada por la sequía y daños por inundación, y no hay nada que podamos hacer al respecto.".

Me sentí como si me hubieran hecho subir al segundo piso y luego me quitaban la escalera.

Sin embargo, en 1971, llovió poco desde marzo a noviembre.

La vegetación había muerto y toda el área era como un campo marrón quemado, y la cosecha de arroz estaba cerca de cero.

Los residentes vivían en la pobreza y estaban devastados tanto financiera como emocionalmente.

Por esa razón, ni siquiera pude pronunciar las palabras de protesta diciendo "eso no sucederá".

Si no se cobraba el monto de la inversión registrada y programada en el formulario de solicitud de préstamo, y resultaba imposible acumular fondos propios equivalentes al 20% del monto del préstamo, que era la condición, el préstamo se cancelaría de conformidad con el reglamento.

Sin embargo, no pude decidirme a seguir los reglamentos al pie de la letra e informar la cancelación del préstamo a la sede de Tokio.

Estaba claro para todos que la Colonia Okinawa se encaminaría al colapso si la luz de la esperanza para el futuro no se encendía en ese momento.

"¿Cómo puedo crear esos propios fondos?"

No había forma de que pudiera pensar en algo tan grande solo y hacerlo en absoluto secreto.

Solicitud de préstamo incondicional al Don

Debido a que Shosuke Suenaga, graduado de la Universidad de Tokio y con una carrera en el Ministerio de Agricultura y Silvicultura, fue designado como jefe de la sucursal de Santa Cruz de la Agencia Emigración en el Extranjero, me mudé a un lugar a cinco minutos a pie de la casa del jefe de la sucursal.

Esto para que yo pueda consultar a Suenaga sobre cualquier asunto en cualquier momento.

Suenaga sufría de insomnio extremo. Cuando le pregunté el motivo, me contó la siguiente historia: una alarma de ataque aéreo sonó cuando estaba en una fábrica de municiones en Nagasaki. Él servía al ejercito como estudiante de servicio voluntario. El señor Suenaga, era muy miope. Cuando llegó al refugio antiaéreo, estaba lleno de gente y no podían dejarlo entrar, por lo que soportó el estallido temblando bajo los aleros de la fábrica. Al terminar el ataque aéreo, descubrió que el refugio antiaéreo al que se le había negado la entrada había sido alcanzado directamente por un proyectil, y los cadáveres carbonizados y desmembrados estaban esparcidos por todos lados. Dijo que ha tenido insomnio desde entonces.

Por lo tanto, se volvió normal que los dos discutiéramos desde la medianoche hasta que el cielo comenzaba a aclarar.

La falta de sueño se compensaba con la típica pausa para el almuerzo o siesta de tres horas, costumbre rutinaria en los países de América del Sur.

Él me decía: "Nunca antes había visto a un hombre tan difícil de tratar como tu",

Pero también me decía: "Puedes firmar los documentos necesarios directamente con mi nombre", y me dio mucha libertad.

Creo que fue porque pudimos entender que ambos estábamos pensando lo mismo como si fuéramos una sola persona.

Cuando Suenaga pensaba, descartaba posición, apariencia, honor, gustos y disgustos, e incluso no calculaba sobre pérdidas y ganancias.

Era una persona rara que tenía el poder de llegar a la esencia de las cosas y ver a través de ellas con nitidez, eliminando la perspectiva egocéntrica que la gente común no puede borrar.

A pesar de esto, también era distraído y no era arrogante en absoluto.

Por esa razón, fue respetado y querido por todos en la Colonia Okinawa.

Con el Sr. Suenaga seguimos discutiendo hasta el amanecer sobre cómo recaudar los 40,000 dólares de autofinanciamiento necesarios para que CAICO reciba un préstamo de la Agencia de Emigración en el Extranjero.

CAICO manifiesta que, debido a la sequía y las inundaciones, no tenía nada.

Entonces, algo tenía que ser creado desde cero.

En una arboleda cerca de la ciudad de Santa Cruz, a la izquierda el Sr. Suenaga, Jefe de la Sucursal, y el autor (1971)

Además, el préstamo debe parecer autofinanciamiento de CAICO visto desde cualquier ángulo.

Los pagos de intereses o garantías no se consideran autofinanciamiento.

El Sr. Suenaga y yo continuamos buscando solución a ese único punto.

No importaba cuánto lo pensáramos, no había manera de que se nos hubiera ocurrido una idea tan brillante.

Después de pensar en esto y aquello, llegué a la conclusión de que "solo las cosas más simples y claras son verdaderas". Si puedes o no hacerlo, es otro asunto.

En otras palabras, significaba pedir dinero prestado en las increíbles condiciones de "sin interés, sin garantía y sin plazo".

No tengo más remedio que preguntarle a alguien que tenga el dinero. Esta fue la conclusión.

Y la persona que nos vino a la mente fue el Sr. José Kawai.

Aeropuerto de La Paz, al fondo la montaña Illimani 6439 m (foto tomada por el autor en 1971)

El Sr. Kawai era el propietario y presidente de Toyota Boliviana S.A. en la ciudad de La Paz, y se decía que era el hombre más rico entre los nikkei de Bolivia.

El Sr. Kawai hizo una fortuna al iniciar la venta a plazos de automóviles a los indígenas, algo que hubiera sido impensable en una sociedad dominada por los blancos.

En ese momento, también se desempeñó como agente de varias empresas japonesas importantes, como Bridgestone y Komatsu, y su empresa era una de las cinco empresas más famosas de Bolivia.

Se le llamaba Don José, "Don" en español sería "Padrino" (gran jefe). En la comunidad nikkei lo llamaban así con respeto y cariño por creerlo digno de ese apelativo. "Si de todos modos vamos a hacerlo, hagámoslo con la mejor persona", concluimos.

Sin embargo, no era algo que pudiera hacerse públicamente.

Eso sí, el jefe de la Agencia de Emigración en el Extranjero Sr. Suenaga no podía hacerlo porque violaría las normas del grupo empresarial y sería un error.

Decidí seguir adelante y lo hice personalmente en secreto y arbitrariamente.

Me dirigí a La Paz para encontrarme con Don José, a quien nunca había visto.

Ir repentinamente desde Santa Cruz a 400m sobre el nivel del mar, hasta el Aeropuerto de El Alto a 4061m sobre el nivel del mar, es bastante agotador, al aterrizar me faltó oxígeno.

Es posible que haya estado nervioso ante las duras negociaciones que estaba a punto de comenzar.

Además, era una solicitud extremadamente absurda "sin intereses, sin garantía e ilimitado".

En primer lugar, si solicitaba algo así, sería expulsado sin ser escuchado.

No llegué a conocer a Don José desde el principio.

Primero, me presentaron a tres personas:

Pancho Rivero y Guillermo Goodmonzon, contadores públicos, y José Miranda, abogado.

Tenían una expresión de recibir una persona problemática. Estas tres personas vigilaban que Don José no hiciera inversiones inconvenientes. Al solicitar el préstamo, ellos fueron como un muro que se interpuso entre Don José y yo.

Lo que me salvó fue que el gerente de Toyota Boliviana era japonés.

Después de reunirme con los tres, me reuní con Kimura Motoyoshi, el gerente general, y le expliqué esforzadamente sobre el plan de recuperación de la colonia Okinawa.

Después de una larga espera, el Sr. Kimura finalmente intercedió ante los tres eruditos, y organizó una reunión solo entre Don José y yo.

El encuentro con Don José se prolongó durante mucho tiempo.

El negocio algodonero de la Colonia Okinawa requiere el desarrollo de 3,000 hectáreas de tierra cultivable mecanizada, por lo que apelé a que sería una gran oportunidad de negocio para Don José, quien era distribuidor de excavadoras Komatsu. Don José seguía mirándome con ojos que parecían ver en lo más profundo del corazón.

Escuchó lo que tenía que decir, pero por supuesto no sacó conclusiones de inmediato.

Después de la primera reunión, Don José me cuestionó una y otra vez para confirmar la credibilidad y viabilidad del proyecto y la credibilidad de la organización de CAICO.

A partir de eso, para responder a cada una de sus preguntas, visité a Don José y le expliqué las veces que fuera necesario.

Finalmente, obtuvimos la aprobación del préstamo a CAICO y entramos en la etapa de confirmación de los términos de dicho préstamo.

Le dije: "Sin intereses, sin garantías y con un plazo indefinido".

Cuando dije eso, Don José abrió sus ojos muy grandes, estaba sorprendido.

Luego, en un momento de asombro, aceptó el préstamo. Me liberé de la tensión extrema que sentía invadiéndome una sensación de alivio que me hizo sentir que me iba a desplomar.

Así, se fijó la perspectiva del autofinanciamiento de CAICO.

Inmediatamente, Don José se tomó la molestia de viajar a Santa Cruz.

El Sr. Tokusyo Miyagi, presidente de CAICO, y el Sr. Hiroshi Kochi, gerente de CAICO, me entregaron frente a todos un cheque personal firmado por Don José.

Aunque esto solo fue para demostración, se pudo invertir el fondo y CAICO se estableció oficialmente como una entidad jurídica.

Se transfirió un préstamo de 138,000 dólares de la Agencia Emigración en el Extranjero a una cuenta abierta por CAICO que tenía 40,000 dólares.

Finalmente se arregló el pago inicial de la planta desmotadora de algodón.

"Lo imposible se hizo posible". La información de que "algo salió de la nada" corrió inmediatamente por la colonia.

Todos en la colonia pensaron que había una luz de esperanza, algo que, desde el asentamiento, a pesar del esfuerzo, no habían visto. Pensaron que ya no era necesario seguir aguantando.

Los agricultores se concentraron todos a la vez en la creación de tierras de cultivo mecanizadas.

Sería tarde comenzar a cultivar el algodón después de que se completara la fábrica de desmotado. Con la finalización de la planta debía haber una cosecha de algodón. Esto se debía a que las tasas de interés eran altas. Por supuesto que fue un inicio inseguro. La Agencia de Emigración en el Extranjero también dejó de dar préstamos para ganado y apoyó a cada agricultor prestando fondos para comprar tractores y desarrollar tierras de cultivo mecanizadas.

Los agricultores, cooperativistas y la Agencia de Emigración en el Extranjero en la colonia Okinawa se embarcaron en una situación desesperada sin vuelta atrás y sin lugar para el fracaso.

Las garantías de los préstamos para importación de plantas están bloqueadas

Luego tuve que resolver el problema de las garantías bancarias.

El fabricante de la planta de desmotado recibiría el pago de exportación al por mayor del Export-Import Bank de EE. UU. y nos enviaría la máquina. Nosotros, que importamos la planta desmotadora pagamos a un banco con sede en Bolivia que garantizaría el reembolso de nuestro pago diferido al Export-Import Bank de EE. UU. Este es el llamado préstamo de importación/exportación.

Por lo tanto, iniciamos negociaciones con la casa matriz de La Paz para obtener una garantía del Banco Agrícola de Bolivia, que se especializaba en finanzas agrícolas. Cuando las negociaciones finales estaban a punto de comenzar, apareció una diosa.

Cuando me subí al avión de Santa Cruz a La Paz y me dirigí al asiento reservado, había una mujer elegante y hermosa sentada a mi lado, en el asiento de la ventana.

En Bolivia, todavía había mujeres que menospreciaban a los japoneses, así que cuando me dirigí tímidamente a ella, respondió amablemente.

De camino a La Paz, ella se cuidó de no interrumpir la conversación, y me preguntó por el área de inmigración japonesa, y la conversación en el avión se tornó amena.

Cuando aterricé en el aeropuerto de La Paz, me preguntó sobre mis planes para el futuro.

Cuando le respondí: "Iré directamente al Banco Agrícola y me reuniré

Preparación del terreno de un inicio inseguro de la colonia Okinawa (Foto tomada por el autor en 1971)

con el presidente Efraín Capobianco", ella gritó: "¡Oh es primo mío!".

Cuando llegué al Banco Agrícola, el gerente, a quien nunca antes había visto, me invitó a pasar con una sonrisa en el rostro. Probablemente ella le había llamado.

Gracias a ello, las conversaciones transcurrieron sin problemas y pude obtener una garantía del Banco Agrícola de Bolivia.

Me sentí aliviado de que se completaran todos los proyectos relacionados con la compra de la planta desmotadora de algodón.

Inmediatamente hice el pedido de la planta.

Sin embargo, después de un tiempo, el Export-Import Bank de los Estados Unidos nos dijo que no podía aceptar este préstamo de exportación e importación.

El Export-Import Bank solicitó una investigación a Dun & Bradstreet, una agencia estadounidense de investigación crediticia, y como resultado llegó a la conclusión de que "la garantía del Banco Agrícola de Bolivia no se podía utilizar para préstamos de exportación e importación".

Quedé desconcertado porque nunca pensé que tal cosa sucedería.

Si mal no recuerdo, hacía un mes hubo noticias en Estados Unidos que el Banco Central de Bolivia había dejado de pagar unos 130,000 dólares, y como resultado se especuló que "no se podía confiar en los bancos bolivianos".

Toda esta información me llegó del Sr. Hans Hiller, cónsul honorario de Alemania Occidental que era el agente de importación para la planta de desmotado de algodón.

Me encontré ante un nuevo obstáculo.

El Sr. Hiller, aunque tenía su propio negocio, debido a mi falta de habilidad en el inglés, vino a la Agencia de Emigración en el Extranjero e hizo frente a mí una llamada telefónica internacional al Export-Import Bank de los Estados Unidos para ayudarme a recopilar información.

Cuando pregunté: "¿Dónde cree Ud. que estaría bien solicitar la garantía?", dijo: "Don, una agencia de crédito manifiesta que estaría bien si es el Banco do Brasil o la garantía personal del Sr. José Kawai".

Me enfrenté a la sorprendente realidad de que algunas personas particulares tienen más crédito que los bancos bolivianos.

Ni siquiera tuve tiempo de dudarlo.

Sr. Hans Hiller, cónsul honorario de Alemania Occidental, agente de importación para la planta de desmotado de algodón y el autor (1971)

En la colonia, el grupo del proyecto ya había comenzado a crear tierras de cultivo mecanizadas y sembrar semillas. Si no confirmábamos el pedido de inmediato no llegaríamos a tiempo para la cosecha del algodón. El banco no tomaría una decisión rápida.

No hay nadie a quien recurrir, excepto de nuevo a Don José.

Si no funcionaba, todo lo hecho hasta ese momento habría sido en vano.

Empecé a viajar a La Paz de nuevo.

Más que la diferencia de un digito de los 40,000 dólares anteriores, se trataba de una solicitud de garantía personal para un préstamo del Export-Import Bank de los Estados Unidos por un monto aproximado de 400,000 dólares para una desmotadora de algodón.

Efectivamente, hubo una feroz resistencia por parte de personas bolivianas leales.

Pero pase lo que pase, teníamos que seguir ordenando una planta desmotadora.

Era plenamente consciente de que no era una solicitud que pudiera hacer sin mostrar una sinceridad razonable. No tengo para ofrecer nada que valga la pena.

¿Qué puedo hacer? Sólo tengo un pequeño salario.

Pero no tengo nada más que ofrecer.

Me decidí y ofrecí lo siguiente:

(1) Después de recibir una garantía personal de Don José y realizar un pedido de una planta desmotadora, inmediatamente iniciaríamos negociaciones con el Banco do Brasil para reemplazar la garantía.

(2) En el caso de que la garantía no pudiera ser reemplazada por la garantía del Banco do Brasil, los salarios otorgados por la agencia a Watanabe serían entregados a Don José como garantía.

¡No podía pensar en nada más!

Don José permaneció en silencio durante mucho tiempo.

Entonces, finalmente dijo:

"No se puede tallar la imagen de BUDA sin consagrar su alma en ella"

Y aceptó la garantía.

De esta manera, finalmente pudimos realizar en forma oficial el pedido de una planta de desmotado justo antes del límite de tiempo.

Imagen falsa de "asesor de gestión"

¿Por qué tuve que hacer todo esto si no es mi trabajo?

¿Y por qué pude hacerlo?

La razón de esto fue el título que CAICO me dio, "Asesor Administrativo".

En los países en desarrollo a menudo se llevan a cabo varios proyectos con el apoyo de los países desarrollados.

En ese caso, los tecnócratas (burócratas técnicos) enviados desde los países desarrollados brindan orientación y supervisión para llevar a cabo el trabajo. En tales casos, son los tecnócratas con títulos como "Asesor" quienes tienen el poder de decidir. En Japón, el término

José Kawai (derecha) y el autor

"Asesor" se suele dar como un título honorífico a las personas que se han jubilado después de trabajar en el frente.

Pero aquí en Bolivia fue diferente. Es reconocido como un cargo de gran responsabilidad y autoridad.

Así fue recibido mi puesto en CAICO.

Cuando me di cuenta de esto, ya era tarde.

Hasta ahora la colonia Okinawa, que no había actuado como una organización económica, se embarcó en un negocio algodonero financiado por el gobierno japonés. El responsable del préstamo fue adscrito a CAICO como "asesor de gestión".

La gente local se acercó hacia mi pensando arbitrariamente "es el asesor quien tiene derecho a tomar decisiones"

Pensé: "Esto va a ser un gran problema".

No solo los locales. Incluso la gente de Okinawa pensaba así.

El Sr. Yoei Arakaki, quien cruzó las montañas de los Andes antes de la guerra y entró a Bolivia, y fue un miembro importante de la "Asociación Pro Ayuda a Okinawa" (para apoyar y aliviar daños sufridos por sus coterráneos durante la Guerra de Okinawa) y la "Fundación de Comunidad Okinawa en Bolivia" (Proyecto de recibir a Inmigrantes Okinawenses a Bolivia) después de que terminó la guerra, me invitó a tomar el té en varias oportunidades, y cuando nos despedíamos siempre decía: "Somos completamente débiles. Por favor, protejamos a la Colonia". Este era el verdadero mensaje que quería transmitir con la invitación.

Además, el Sr. Choki Ishuu, quien fuera el primer jefe de la oficina de representación del Gobierno de Ryukyu en Bolivia, me trajo papayas y cacao cosechados en su finca y antes de irse, expreso lo mismo que el Sr. Yoei.

Al parecer ellos habían malinterpretado mi papel creyendo que tenía algún tipo de poder, sentí un escalofrío recorrer mi espalda y pensé: "Esto es un gran problema".

Desde el incidente con Don José, el pensamiento de que era un "joven autoritario" había cambiado a "un joven que parece estar haciendo algo bueno en asuntos de migración", esto se convirtió en una falsa imagen que comenzó a extenderse.

Si fallaba estaba destinado a convertirme en un chivo expiatorio.

De hecho, recibí un informe de la oficina de Okinawa de que había una persona que dijo: "Si falla, ataré a Watanabe, lo subiré a un buey y lo arrastraré por toda la comunidad".

Lo que más me molestaba era mi propia personalidad. Si me lo dicen así, aprovechando la falsa imagen, estaba dispuesto a hacer todo lo que estaba a mi alcance para limpiarlo.

Negociaciones con el Banco do Brasil

Al obtener una garantía personal del Sr. José Kawai, también conocido como Don José, ante el Export-Import Bank de los Estados Unidos, la Cooperativa Agrícola de Colonia Okinawa (CAICO) pudo realizar formalmente un pedido para importar la planta desmotadora de algodón. La condición era que la garantía personal de Don José fuera reemplazada por la garantía del Banco do Brasil después de que se ordenara la planta desmotadora.

Por esta razón, iniciamos de inmediato las negociaciones con la sucursal en Santa Cruz del Banco do Brasil.

Al principio, alguien que hablaba español con fluidez me acompañaba como intérprete, pero no estaba bien preparado en el área de negocio y financiación por lo que sentí que las preguntas y respuestas no estaban bien traducidas. La otra parte parecía sentir lo mismo.

Un día el gerente de la sucursal me dijo: "La próxima vez, ven a visitarme solo".

Mi primera profesora de español fue la señorita Ñeca Roca, quien vivía en la calle La Riva, entre la oficina y mi casa: a unos 200 metros a pie desde la oficina, ella vivía a 50 metros de la oficina.

Ñeca era la abreviatura de Muñeca, Ñeca era tan hermosa y famosa que era conocida en toda la ciudad. Ella era una de las candidatas a Miss Internacional, por lo que no había nadie que no la conociera.

Tomaba clases particulares y aunque nuestras familias se reunían, no progresé mucho en el aprendizaje.

Akira Aniya, un colega de la Agencia Emigración en el Extranjero, me dijo: "¿Cómo te atreves a seguir pidiendo dinero prestado con tu pobre español?", estaba horrorizado.

Profesora de español (1970 foto tomada por el autor)

En realidad, había un truco.

Para compensar mi pobre español, memoricé en español todas las palabras específicas de contabilidad.

En el banco no hablamos de abstracciones filosóficas o religiosas.

Se hablaba sobre los números específicos de la tabla de planificación.

Además, aunque hubiera hablado español fluidamente, por más que hiciera la petición, si el negocio no tiene perspectivas, el banco nunca hubiera aceptado el préstamo.

Si dices, "Por favor ayúdame", equivale a "Está acabado"

Todo lo que se necesitaba era la habilidad de explicar, usando números, convencer que no había problemas con la certeza del proyecto y el plan financiero.

No había miedo de malentendidos, por lo que podríamos decir que era fácil.

El gerente de la sucursal Banco do Brasil hablaba español mezclado con portugués y yo me las arreglaba con mi pobre español y funcionó.

Justo detrás del asiento del gerente, había una cafetera y varias tazas de café pequeñas del tamaño de un guinomi (taza japonesa tradicional para tomar sake). El gerente de la sucursal llenó la taza con abundante azúcar y se sirvió café fuerte. El famoso cafézinho brasileño. Cuando la charla se extendía bebía alrededor de 5 tazas.

Ninguna otra persona no aceptaría el negocio si mostraba preocupación o inseguridad, por tanto, al final de la explicación dije con seguridad: "¡No hay ningún problema!"

Y lo más importante era que se reconociera el futuro de la Colonia Okinawa.

Alquilé un autobús y personalmente los guíe hasta la Colonia Okinawa un total de 60 personas, desde el gerente hasta el guardia de seguridad del Banco do Brasil. Pedí a los funcionarios de CAICO que prepararan un almuerzo de trabajo con la participación de todos ellos para tener un intercambio amistoso.

El Sr. Oscar Tameyasu Nagamine de la colonia también participó como miembro del Banco do Brasil y apoyó mi pobre español durante mi desempeño como guía.

Los uchinanchu (okinawenses) son muy buenos para realizar este tipo de eventos, por lo que fue un gran éxito. Incluso si no podía entender bien el idioma, se podía entender el sentimiento del "Icharibachode" (somos como hermanos desde el momento en que nos conocemos) del uchinanchu. Estaba convencido de que el espíritu de "Yuimaru" (cooperación mutua) también se sentía y daría su efecto. Pusimos los ponkan que recibimos de la otra colonia japonesa San Juan en una canasta e hicimos que cada uno de ellos subiera al autobús de regreso a casa llevándosela como recuerdo.

El ambiente en el autobús era bullicioso y sumamente divertido.

Después de eso, pude ingresar libremente a la oficina del gerente del Banco.

Además, el Sr. Julio Oshiro, de ascendencia okinawense, tuvo la suerte de asumir el cargo de gerente de la sucursal del Banco do Brasil. Era originario de Campo Grande, Brasil.

Los okinawenses y los habitantes de la ciudad de Campo Grande también fueron víctimas de la guerra anterior.

Frente a la costa de Brasil, un barco brasileño fue hundido por un submarino alemán.

Se sospechaba que los residentes de la costa, eran espías de las Potencias del Eje.

Se envió un proyecto de ley de desalojo desde los Estados Unidos y de la noche a la mañana, 585 familias japonesas que vivían cerca del puerto de Santos fueron expulsadas sin previo aviso.

Se dice que fueron discriminados como "espías bastardos".

Primero los enviaron a un campamento de migrantes en São Paulo, luego los enviaron al interior de Várzea Alegre en el estado de Mato Grosso, cerca de la frontera con Bolivia.

Su capital es Campo Grande. De las 585 familias, el 60% eran okinawenses.

Paso el tiempo y cada vez que un tren con okinawenses que emigraban a Bolivia se detenía en Campo Grande, ellos ofrecieron ayuda a sus coterráneos alimentándolos mediante una olla común.

El señor Julio Oshiro debe haber sido un tremendo genio porque salió de la Universidad de Sao Paulo desde una zona tan remota y entró al Banco do Brasil.

Como nuestros hijos tenían más o menos la misma edad, nos hicimos buenos amigos y a menudo visitábamos recíprocamente nuestras casas. Quizás él arregló todos los documentos y los envió a la oficina central. El Sr. Oshiro se ausentó debido a las vacaciones de un mes como gerente de la sucursal, lo cual es típico del Banco do Brasil, pero el gerente que vino a reemplazarlo, inmediatamente aceptó la garantía. Como era de esperar, era un genio. Me impresionó que actuaba de forma diferente.

Pensé que él debió haber arreglado todo y dejado la decisión final al nuevo gerente para evitar ser visto como un caso de favoritismo hacia sus compatriotas.

Después de eso, el Sr. Oshiro fue ascendido de gerente de la sucursal de Santa Cruz a gerente de la sucursal de Tokio del Banco do Brasil, que acababa de abrir. El Sr. Nagamine de la colonia, quien también trabajaba en la sucursal de Santa Cruz, salió de Bolivia después de un tiempo para trabajar en la sucursal de Tokio.

De esta manera, pudimos terminar negociaciones duras que fueron como una carrera de obstáculos que duró unos cinco meses.

Sobre todo, estaba feliz de poder cumplir con la promesa de "reemplazo de la garantía" librando de ser garante a Don José. El terreno para implementar un molino de aceite que se había planeado durante el período de la Oficina de Emigración de Ryukyu, pero que nunca se concretó sirvió para entregar como devolución del préstamo.

El notable desarrollo de la ciudad provocó una subida del precio del terreno y el beneficio de este permitió devolver el préstamo.

De todos modos, cuando se estableció CAICO no había inversión de la colonia, por lo que me gustaría recordar para siempre el hecho de que se pudo comenzar solo con la buena voluntad del Sr. José Kawai.

Problemas/incidentes difíciles inminentes

El algodón no germina

Con la instalación exitosa de un pedido formal para la planta desmotadora de algodón, la Cooperativa Agrícola Colonia Okinawa (CAICO) fortaleció aún más su estímulo a los miembros inmigrantes para cultivar algodón. La sucursal de Santa Cruz de la Agencia Emigración en el Extranjero también promovió préstamos individuales a los agricultores y apoyó totalmente el cultivo del algodón.

Cuando los agricultores compraban tractores individualmente, los inmigrantes de la colonia y yo acudíamos a los agentes de importación.

Los fondos para la compra tomaron la forma de pago de fondos del préstamo de la agencia para inmigrantes.

Al prestar dinero al agricultor para comprar, puse una condición.

Les pedí que cuando fueran a la agencia en Santa Cruz, se pusieran traje y corbata. Les dije a los agricultores que se negaron a cumplir. "Si visitan la agencia con su ropa de trabajo, no serán tomados en serio. Incluso si solicitan reparaciones en caso de que el tractor comprado se descomponga, no les enviarán de inmediato un ingeniero para repararlo. ¿Está bien?"

Bolivia es un crisol de razas.

Está conformada por personas de diferentes razas, religiones y culturas.

La apariencia también es un factor importante para juzgar a las personas. La ropa es cuestionada.

Los japoneses viven en una tierra pequeña con una cultura uniforme y han vivido una vida social después de conocer los antecedentes de los demás, prefieren ser simples y fuertes de cuerpo y corazón, y no son buenos disfrazándose. Muchos de los inmigrantes llegaban a Santa Cruz con ropa de trabajo, aunque iban de compras.

Como resultado, algunas personas locales consideraron a los migrantes como refugiados que habían escapado de un país derrotado. No podían ser vistos como clientes.

Mejorar el estatus de los japoneses en la sociedad boliviana era esencial para el desarrollo de asentamientos y cooperativistas.

Seguí adelante creyendo que esto sería necesario para lograr un desarrollo significativo.

Además del financiamiento proporcionado por la Agencia Emigración en el Extranjero, también hubo un fuerte impulso para las ventas a plazos por parte de los distribuidores de tractores brasileños, y muchos agricultores compraron tractores pagando en partes.

Sorprendentemente, se introdujeron alrededor de 90 tractores y equipos relacionados durante este período, y el campo de cultivo estaba bien mantenido y se acercaba el momento de la siembra. En 1971, comenzó a sembrar algodón en 2.387 hectáreas de tierra justo a tiempo para la temporada de lluvias.

15 años de sufrimiento. Todos los inmigrantes estaban llenos del deseo de romper la cadena de desgracias que hasta entonces había.

Quiero hacer florecer a través del cultivo del algodón los sueños de quienes emigraron a Sudamérica.

Todos ponían su vida en este proyecto.

Sin embargo, incluso después de plantar las semillas, no llovió en absoluto.

Todos los días, mirábamos al cielo y suspirábamos cuando alguien gritaba: "¡Hay una nube negra!", todos de repente, salíamos de la oficina y mirábamos al cielo. Así transcurrían los días.

La aterradora estadística del número máximo de 140 días consecutivos sin lluvia en la Colonia Okinawa se nos pegó como una mala racha.

El jefe de la sucursal de la agencia Sr. Suenaga, me llamó en medio de la noche diciéndome: "No puedo dormir". Suspiré y para olvidar, bebí sake hasta el amanecer.

Aunque no se compara con la ferocidad de los terremotos y los tifones, nunca antes había sentido tanto terror por la naturaleza.

Atrapados por el clima como si fuera un demonio, incapaces de movernos, una atmósfera sofocante pesaba mucho sobre todos los involucrados.

La preocupación compartida por el destino aumenta mucho más que la preocupación de una sola persona. No podía hacer nada, solo frustración. Sentir sensación de impotencia.

Las civilizaciones aimara e inca tenían una costumbre de "sacrificio".

Por admiración y temor a la naturaleza, que va más allá del poder humano, sacrificaban a sus hijas más jóvenes y hermosas, y sus posesiones más preciadas, en un intento de escapar del desastre.

Debido a la sequía pude comprender el sentimiento de aferrarse a esta costumbre.

Incluso la civilización moderna solo puede confiar en Dios. Le pedí al padre Miguel que rezara para que lloviera en la colonia.

Aun así, no llovió y la gente empezó a decir: "Las semillas morirán y no germinarán". Pasamos un tiempo de mucha preocupación.

La situación cambió de repente. Después de tres días de orar para que lloviera, finalmente fuimos bendecidos con una lluvia misericordiosa.

El aviso me llenó de alegría y alivio.

Se empezó a brindar por todas partes, intercambiando saludos de

Finalmente, brotó el algodón (Foto tomada por el autor en 1971)

felicidad entre todos.

Todos bebimos mucho. Fue una locura.

La alegría de la gente también aumentó ya que como comunidad podían avanzar juntos en el negocio algodonero.

Los antiguos rituales sintoístas y las canciones y bailes asociados con ellos deben haber nacido naturalmente de una situación desesperada.

Una tenue línea de puntos verde claro apareció sobre el terreno, luego se convirtió en una línea de color verde oscuro y finalmente, todo el campo se cubrió de verde.

El paisaje de la germinación borró todos los malos momentos.

Amenazas de deportación

Tanta alegría duró poco.

A continuación, nos vimos obligados a elegir sobre la fuente de energía para hacer funcionar la planta desmotadora de algodón: si debía ser suministrada por la Cooperativa de electricidad CRE o si debíamos generar nuestra propia energía eléctrica utilizando un generador fabricado por Caterpillar Inc. de los Estados Unidos.

En 1970 se inauguró una central eléctrica que funcionaba a gas natural extraído en las afueras de Santa Cruz, lo que mejoró mucho la situación energética.

Junto a esto, se planeó la instalación de postes y cables eléctricos a la Colonia Okinawa de acuerdo al plan de expansión de líneas de cables aéreas de la Cooperativa Rural de Electricidad Santa Cruz (CRE).

Para CRE sería más fácil vender electricidad a la desmotadora de algodón y recuperar el costo de instalación del cable eléctrico, mientras que para CAICO pagar el costo por energía sería más económico que comprar un generador, por lo que ambas partes estuvieron de acuerdo.

CAICO decidió cubrir la fuente de energía con la electricidad suministrada y firmó un memorando de entendimiento con CRE. Los periódicos de Santa Cruz también aparecieron con titulares de artículos dando la bienvenida al proyecto y las expectativas de electrificación de las residencias en la Colonia aumentaron de inmediato.

Sin embargo, después de eso se produjo un paro portuario en Estados

Unidos que se prolongó por largo tiempo. Los sindicatos de estibadores de EE. UU. eran notorios por su poder, y a los trabajadores se les pagan salarios escandalosamente altos en comparación con otras industrias.

Esto se convirtió en uno de los problemas sociales más espinosos de los Estados Unidos difíciles de aceptar fácilmente.

Surgieron preocupaciones de que la extensión de la huelga retrasara la instalación de postes y cables de servicios públicos de CRE en la Colonia Okinawa. Sin las líneas eléctricas, no podríamos hacer funcionar la fábrica de algodón.

Preocupados nos mantuvimos en contacto con el Sr. Hans Hiller, el agente de importación de la planta desmotadora. Luego recibí información de que se retrasó la llegada de los equipos de CRE.

Al verificar el estado de llegada de materiales y el progreso de la implementación de cables, llegamos a entender que no importa cómo lo viéramos, no estaría listo a tiempo para nuestro proyecto.

Sin embargo, CRE insistía en que "todo estaba bien".

Así que invité en secreto a un ingeniero comprensivo a cenar para obtener más información. Mientras tanto el Sr. Hiller también nos informó sobre un límite de tiempo para ordenar generadores Caterpillar adicionales.

Teníamos que elegir entre mantener el contrato con CRE creyendo que la instalación de cables se completaría a tiempo o comprar un generador Caterpillar, pensando en que la instalación de cables no se completaría a tiempo, al tomar esta importante decisión, pregunté cuáles eran las intenciones de los miembros del Directorio de CAICO.

Luego, el Sr. Tokusho Miyagi, presidente de la Cooperativa, dijo: "Asumo toda la responsabilidad, así que quiero que el Sr. Watanabe tome la decisión". Informó que confiaba todo a mí.

La razón era que los directores que no estaban involucrados en las negociaciones no comprendían las sutiles intenciones de la otra parte, se dijo que era peligroso tomar decisiones importantes por mayoría de votos.

A menudo me sorprendían las decisiones tomadas por el presidente de la Cooperativa Miyagi, en momentos como este.

Diría que este es el temor de tomar decisiones audaces de aquellos que no se fijan en intereses propios.

Sin embargo, es más aterrador recibir la plena confianza de una persona así.

Aunque no quería, tuve que pensar fríamente y decidí cancelar la compra de energía a CRE.

Cuando le comuniqué al presidente de CRE, Dante Pavisic, sobre el plan de cancelar la compra, se enojó ferozmente, su rostro se enrojeció y dijo: "Te voy a deportar".

El periódico local también publicó un gran artículo condenando la situación y describiéndola como "traición".

CAICO dispuesto a gastar más, ordenó un generador de motor diesel Caterpillar adicional de 16 cilindros y 270 kilovatios.

También obtuvo garantías adicionales del Banco do Brasil.

Después, nuestra decisión resultó ser la correcta.

Los tendidos eléctricos de CRE no llegaron a la colonia, se había detenido lejos.

Será una historia más adelante, pero después de unos años me reuní de nuevo y me reconcilié con el presidente Sr. Pavisic.

Paros portuarios prolongados

Incluso al llegar el año 1972, la huelga de los trabajadores portuarios estadounidenses no mostraba signos de solución. No había información sobre el envío de la desmotadora de algodón ordenada por la Asociación de Cooperativas Agrícolas de Colonia Okinawa (CAICO).

Hans Hiller el agente de importación, dijo que estaba esperando ser embarcada en el puerto de Nueva Orleans pero que no se sabía cuándo saldría del puerto.

Mientras tanto, el límite de tiempo habitual para la temporada de cosecha de algodón se había vencido.

El control de plagas del algodón es costoso y además tiene altos costos de cosecha.

El algodón cosechado debe limpiarse rápidamente de semillas y polvo, y debe secar para que se pueda vender.

Si la planta no llegaba, el rendimiento de la inversión del préstamo y el esfuerzo de cultivo de los agricultores sería cero, y todos los agricultores se verían obligados a declararse en quiebra.

Sumar miles de millones de dólares en deuda a la agotada colonia significaba la muerte para todos.

Era dolorosamente consciente de los sentimientos de los agricultores de que "querían arrastrarme con las vacas".

Pero no había necesidad de sentirme impotente, como cuando rezamos para que llueva durante la sequía.

Había algo que podía hacer. Estaba decidido a hacer todo lo posible para acelerar la llegada de la planta desmotadora, aunque fuera solo un día o incluso una hora.

A mediados de enero, finalmente se levantó la huelga portuaria.

Sin embargo, los barcos que transportan plantas desmotadoras hacían escala en varios puertos para descargar antes de llegar a Buenos Aires, Argentina. Esto significa que tardaría un mes en llegar. Además, la descarga, el despacho de aduanas, el transporte a la estación, la carga en los vagones de carga y el transporte hasta la colonia demorarían, como mínimo, medio mes. Luego venia el trabajo de ensamblado de la planta y llevar a cabo el trabajo de instalación. Ya era mediados de febrero.

La cosecha de algodón comenzaría en abril.

Incluso si todo se realizaba a prisa, por lógica era probable que no se hiciera a tiempo. No quedaba más remedio que agilizar al máximo cada proceso. Sin embargo, el Sr. Hiller, agente de importación, no asumiría este trabajo.

Así que volé a Buenos Aires primero. Negocié con una empresa de manejo de carga marítima para que la carga descargada pudiera ser transportada a la estación de inmediato, cargada en vagones de carga y enviada a Bolivia lo antes posible.

Observé cómo descargaban la planta desmotadora del barco, lo transportaban en vagones de carga con destino a Bolivia desde la estación de Retiro y partían. Confirmada la partida, regresé a Bolivia.

Después nos dirigimos a Yacuiba, ciudad cerca de la frontera que limita con Argentina. Hubo que negociar para que los vagones de la desmotadora de algodón llegaran a Santa Cruz lo antes posible.

Como era una ciudad fronteriza peligrosa, para facilitar las negociaciones, me acompañó un miembro del personal boliviano de la

Oficina de Migración en el Extranjero.

El señor Osuna, que es seis años mayor que yo, había sido piloto de la Fuerza Aérea de Bolivia. No había puestos de control a pie a través del río poco profundo entre Yacuiba y la frontera con Argentina, lo que permitía la libre circulación.

Como una fila de hormigas, mujeres indígenas cargando en sus espaldas productos que habían comprado en la frontera, regresaban desde el lado de Argentina.

Debido a que mantenían el sustento diario contrabandeando pequeños artículos de uso diario, los funcionarios de aduanas de ambos lados no intervenían.

Había muchos hoteles baratos utilizados por esas personas y el ambiente estaba lleno de una vitalidad caótica.

En el lado de la orilla del territorio argentino me llamó la atención una tienda de armas.

La tienda que atendía a los clientes bolivianos estaba repleta de todo, estaba en exhibición desde el Winchester favorito de John Wayne en las películas de vaqueros hasta los últimos rifles automáticos.

Visité la estación muchas veces al día.

Del lado argentino, las condiciones del ferrocarril eran buenas por lo que el equipaje se llevaba constantemente a la estación fronteriza con Bolivia, pero las condiciones del ferrocarril desde la estación fronteriza del lado boliviano hasta Santa Cruz eran malas y la cantidad de viajes era poca, por lo que los carros de carga se quedaban en la estación de Yacuiba.

Había siete vías llenas de vagones y nuestro equipaje estaba en la quinta vía. De Yacuiba a Santa Cruz salía una vez cada 5 días.

Si llovía, podía haber una salida cada 7 a 10 días.

Estaba claro que quedarse sin hacer nada generaría una situación desesperada.

De acuerdo al orden de las vías, el envío de nuestro equipaje sería un mes después.

No tenía más remedio que moverlo a la primera vía de alguna manera.

Negociamos, pero no funcionó.

Por otro lado, parecía primar el poder de las empresas bolivianas y cosas que estaban en la vía siete de repente pasaban a la vía uno, y nuestra carga no se movía de la quinta vía.

No se pudo incluir en el primer grupo de trenes con destino a Santa Cruz.

La impaciencia llegó a su límite. En el poblado de Yacuiba, donde la temperatura supera los 40 grados centígrados y el suministro de agua está cortado, es imposible ducharse. Osuna y yo íbamos a la estación muchas veces al día y correteábamos haciendo preguntas. El personal de la estación informó "vienen unos japoneses extraños", llegaron al hotel dos detectives y nos dejaron un mensaje de que vayamos a la policía y se fueron.

"No teníamos tiempo. Si íbamos a la policía y nos interrogaban o nos detenían, definitivamente no llegaríamos a tiempo para la cosecha de algodón".

Me di cuenta de que no importaba cuánto suplicara por los medios convencionales, era inútil.

Sin embargo, Osuna decía que no tenía conexiones.

¿Sobornar al jefe de estación? "No había forma de que la agencia pudiera pagar una cantidad de dinero".

"¿Qué podíamos hacer?" Lo habíamos intentado todo.

Entonces, después de quedarme sin palabras, se me ocurrió lo siguiente. Recluté la ayuda de la policía secreta que perseguía a los delincuentes que intentaban escapar por la frontera. Sabía que era peligroso y contrario al sentido común.

Un hombre con licencia para matar

Cuando aterrizamos en la pista de tierra de Yacuiba desde Santa Cruz en una avioneta con pisos de madera y asientos pegados al piso que parecían asientos gastados de autobús viejos, sorprendido pensé "¿Existe todavía un avión así?" En la puerta del aeropuerto, había un hombre corpulento y de baja estatura que revisaba minuciosamente a cada pasajero que llegaba.

Era un oficial de la policía secreta. Afortunadamente nació en Santa Cruz y era conocido de Osuna, así que nos saludamos en el aeropuerto.

En ese momento, Osuna me presentó a Pitungo Ehué.

Le entregué mi tarjeta de presentación y me mostró una tarjeta de identificación emitida por la oficina presidencial.

Y dijo: "Esto es una licencia para matar". Dijo además que trataba de no pasar por alto a los delincuentes que intentaban huir del país por la frontera.

Cuando le pregunté, ya que solo vestía una camisa de cuello abierto, "¿Dónde tienes tu arma?", giro mostrándome su espalda y se levantó la camisa.

Una pequeña pistola encajaba perfectamente en el espacio entre el cinturón y la columna vertebral, sobre las nalgas.

Me mostró las suelas de sus zapatos que estaban cubiertas con un tejido para que pudiera acercarse al objetivo en silencio.

Era como un sicario.

Juzgando que además de él, no había nadie por ahí que pareciera ser capaz de cambiar la situación, inmediatamente me dirigí al aeropuerto para buscarlo y le explique:

(1) En la vía 5 hay 13 vagones cargados con una planta desmotadora de algodón que los inmigrantes japoneses compraron a través de una gran deuda, pero se da prioridad a otros vagones y no hay señales de moverlos.

(2) Para llegar a tiempo a la cosecha de algodón debido a los retrasos en los envíos por el estallido de la huelga en el puerto de EE. UU., tenemos que ir a Santa Cruz en el siguiente tren.

(3) Si esto no es posible, 200 familias japonesas, unas 1000 personas no podrán sobrevivir. Hablamos sobre ello y le pedimos ayuda para que nuestros 13 vagones de carga se incluyeran en la próxima salida de vagones de carga.

Él aceptó.

"No salgan solos a la ciudad fronteriza porque no saben lo que está pasando". Nos recogió en nuestra habitación del hotel por la mañana y se quedó con nosotros hasta que cerré la puerta de mi habitación por la noche. La puerta no debía abrirse a cualquier persona por lo que también acordamos cómo tocaría él la puerta.

Pitungo detuvo el auto del jefe de la policía al cruzar la calle y le dijo:

"Un detective dejo avisado que se presentarán a la policía, pero dile a ese detective que ellos son mis amigos, así que no hay problema". También nos llevó a la división de Yacuiba del ejército que custodiaba la frontera y le explicó al comandante de la división el propósito de nuestra visita. Parecía que nadie podía oponerse a él.

Durante nuestro período de estadía debido a la "Yapa de Carnaval" que es una semana después del carnaval, en la plaza todavía quedaban carpas grandes que habían sido instaladas solo para el carnaval. Ahí se habían instalado muchos restaurantes y bandas musicales alrededor de muchas sillas, el clima festivo aún no había acabado, y se notaba la algarabía del carnaval en toda la ciudad.

Decidí entretener a Pitungo como agradecimiento por estar en deuda con él.

Pitungo invito a aquellas personas que encontraba en el camino y que no se podía decir que eran agradables, les indicaba con la barbilla que se acercarán uno tras otro, llegamos a ser un total 10 personas y dejamos dos bolsas de yute llenas de envases de cervezas vacías que entre todos tomamos.

Una bolsa contenía 36 botellas grandes. Algo que sorprendió a un gran comilón como yo. Me sentí agradecido de que Pitungo se ocupara de nosotros dos, convertidos en forasteros ilustres en esa caótica ciudad, tanto como para hacer sentir que el poder de la policía, del ejército y los no legales no pudieran afectarnos.

Al día siguiente, Pitungo me agradeció por la noche anterior haciéndome un guiso preparado a leña en el jardín frente a la habitación que alquilaba.

Le exprimí un limón del jardín para realzar el sabor, estuvo delicioso.

Era un hombre agradable. La pobreza podía haber sido la razón por la que estaba en esa profesión.

Parece que Pitungo presionó mucho al jefe de estación sin que lo supiéramos.

Debió haber quedado atrapado entre la demanda agresiva de la gente influyente boliviana y nuestras demandas.

Escuché al jefe de estación gritar llorando "Me meten el dedo en el ano" durante la comunicación por radio con Santa Cruz.

Saltando de un tren en sentido contrario

En la tarde del sexto día, vi una nube de polvo a lo lejos, venía un tren de Santa Cruz. El jefe de estación, llorando, reorganizó los vagones de carga y nuestros 13 vagones se conectaron cerca del final del tren en el camino de regreso. Finalmente, en la tarde del séptimo día después de llegar a Yacuiba, los vagones pudieron partir hacia Santa Cruz.

Nosotros también, nos sentamos en el piso de madera del vagón del asistente del conductor. Allí en el último vagón, decidimos regresar con nuestro equipaje.

Antes de partir, una anciana entró cargando un ataúd. Ella dijo que había venido a comprarlo porque su esposo había fallecido. No tuvimos más remedio que acomodarnos en el piso alrededor del ataúd hasta que la anciana bajara.

Dos asistentes del conductor, nosotros, una anciana, otro hombre; en total seis personas eran nuestros compañeros de viaje en dicho vagón.

Aunque un "viaje en tren", se piensa que es un viaje elegante, no había ni una pizca de elegancia en nuestro viaje.

Como la vía no estaba cubierta de grava, viajar en el último vagón era como estar en una tormenta de arena.

Dormí boca arriba durante una hora, y cuando me levanté, la arena que se había amontonado en mis lentes de sol, cayó silenciosamente.

Además, el impacto de unos 50 vagones de carga que estaban conectados entre sí, era tremendo.

Cuando pensé que el ruido de la conexión aumentaba gradualmente, finalmente sentí un estruendo en la sala del asistente de conductor, y como estaba parado, estuve a punto de salir volando.

Justo después de la medianoche, en la sala del asistente de conductor nos despertó de repente un gran bullicio. Según la explicación del asistente, supimos que el enganche se había dañado y que nuestro vagón se deslizaba en dirección contraria por una pendiente pronunciada.

El asistente de conductor estaba nervioso porque la velocidad de los vagones de carga aumentaba constantemente.

Siguiendo las instrucciones del asistente, crucé entre los vagones de carga en marcha y accioné el freno manual circular, pero estaba roto y no funcionaba.

Los dos asistentes de conductor entendieron que no había remedio y dijeron: "Bajen que se va a descarrilar", y saltaron inmediatamente cerca de la estación por la que pasábamos. Seguidamente saltó Osuna.

Traté de saltar, pero ya habíamos pasado las instalaciones de la estación. Traté de volar en la oscuridad, pero no podía porque creía que podía haber rocas ya que veía intermitentes figuras de rocas blancas.

Finalmente me dirigí hacia un lugar oscuro y pensé: "No quiero quedar atrapado en las ruedas", así que salté lejos. Tal vez fue una mala decisión, debido a la fuerza del viento di vueltas como un volantín y caí.

Creo que perdí el conocimiento.

Antes de que me diera cuenta me quedé solo en un bosque salvaje completamente oscuro donde no podía escuchar las voces de los demás.

Pensé que nuestros 13 vagones de equipaje también corrían en la dirección opuesta, así que comencé a caminar sobre las vías del tren.

Me arrastré por el puente de hierro y seguí el tren de carga.

"Mala suerte. Todo está perdido", grité llorando mientras caminaba.

No sé cuánto había caminado, pero en la oscuridad vi el oscuro contorno de un vagón de carga, me acerqué, confirmé que no se habían descarrilado y colapsé.

Aproximadamente tres horas después de la larga noche, la locomotora regresó. Agarrado a la parte delantera de la locomotora vi a Osuna gritando "¡Watanabe Watanabe!" mientras me buscaba.

Después de pelear con el ingeniero que regresó para recoger y auxiliar solo a las personas y dijo: "Dejemos los vagones de carga", lo convencí para finalmente reacoplar nuestros vagones y regresar con el cargamento.

Osuna tenía hinchada y morada su pierna desde la rodilla hasta el muslo, era un terrible hematoma.

Me estaba riendo de eso, pero cuando me trasladé hacia el vagón de pasajeros que se conectó en el camino, no pude soportar el peso de mi cabeza y me acosté, las vibraciones del tren resonaban directamente en mi cabeza y no podía dormir.

Incluso aunque me levanté y puse mis manos debajo de mi barbilla para sostenerla, la vibración golpeaba mi cabeza, sentía que me estaba volviendo loco de dolor.

"Finalmente, me di cuenta que tenía una terrible "contractura cervical".

Cuando salté del vagón de carga la forma del suelo era accidentada y debí haberme torcido tanto el cuello que casi me lo rompo. Fue como ser torturado durante las siguientes ocho horas hasta Santa Cruz. En la estación donde nos detuvimos, Osuna negoció aquí y allá para alquilar un avión cessna, pero fue en vano. Llegué a Santa Cruz sin aliento.

En la estación nos recibieron el Sr. Tokusho Miyagi, presidente de CAICO, el Sr. Shosuke Suenaga, jefe de sucursal, y el cónsul Sr. Yoshigoro Nishi, acompañados de otra persona que parecía estar en viaje de negocios desde Tokio.

Esa persona era el Sr. Yukihiko Ikeda (luego fue presidente del Consejo de Investigación de Políticas del Partido Liberal Democrático y ministro de Relaciones Exteriores), quien estaba a cargo del presupuesto del Ministerio de Relaciones Exteriores del Ministerio de Finanzas.

Cuando estaba a cargo, aprobó un préstamo especial para CAICO, por

¿Compañero de guerra? Reencuentro con Osuna (2004=Celebración Conmemorativa por los 50 años de la instalación de la Colonia Okinawa)

Finalmente llegó el embalaje con las innumerables partes de la planta desmotadora transportadas por los 13 vagones (1972 = Foto tomada por el Servicio Emigración del Japón)

lo que parecía haberse tomado la molestia de visitar Bolivia.

Se sorprendió y dijo: "¿El negocio de la inmigración tiene que hacer hasta esto?"

Bajo el cuidado de un especialista en ortopedia, El Dr. Susumu Atsushi, me recogió una ambulancia del lugar de inmigración y estuve hospitalizado durante un mes en el Hospital Central de la Colonia II, desde donde podía ver la fábrica de algodón.

El médico que estaba preocupado porque mi cuadro podía convertirse en una parálisis funcional, mandó poner una tabla debajo de las sábanas, me acostó sobre ella boca arriba y me dijo que no girara, era una tortura. Después, incluso cuando regresé a casa se me ordenó estrictamente que descansara por lo que no pude asistir a la ceremonia de finalización de la construcción de la fábrica de desmotado.

Además, mi esposa tuvo un aborto porque corrió a casa después de escuchar la noticia de mi accidente. La atendió el Dr. Yutaro Matsumoto del Departamento de Obstetricia y Ginecología de la Clínica San Juan.

Era un hecho innegable que le había pedido al sicario que amenazara al jefe de la estación y forzara las cosas, así que pensé que era un castigo de Dios.

Mi esposa y yo creíamos que existía el riesgo de no poder concebir un segundo hijo, pero nuestro hijo nació dos años después.

Con el fin de poner en marcha la planta a tiempo para la cosecha de algodón habiendo excedido el límite del tiempo necesario, estaba claro que los ingenieros enviados por el fabricante de la planta y el personal de CAICO no podrían acabar a tiempo. La sucursal en Santa Cruz del Servicio de Emigración en el Extranjero no tuvo más remedio que ocuparse de la construcción de la fábrica.

Al respecto, el vicepresidente Koki Yamashiro, responsable de la construcción de la fábrica de desmotado de algodón de CAICO, dijo en una mesa redonda para la revista del vigésimo aniversario de CAICO "Hay una razón por la que dije que mi memoria no es clara"

El Sr. Yamashiro aunque sabía todo sobre la construcción de esta fábrica, sobre el anterior problema de autofinanciamiento y las acciones no regulares realizadas en la Estación Yacuiba, no lo mencionó porque pensó que nos traería problemas si lo revelaba.

Es por eso que el registro sobre el período de la fundación de CAICO estaba en blanco, esta es también la razón por la que querían que yo escriba sobre esta historia. No se puede dejar registro a menos que la persona que lo hizo y lo vivió, hablara sobre ello.

La construcción del edificio de la fábrica fue encabezada por Sekai Nishino y Koji Tomizu, ingenieros civiles agrícolas enviados desde la sede principal de la Agencia de Emigración en el Extranjero. Todos los maquinistas y técnicos del equipo de ingeniería civil de la filial de Santa Cruz de la Agencia de Emigración en el Extranjero fueron invitados a ensamblar la máquina, con el Sr. Tokuo Ikeda como líder del equipo. Los gastos se cubrieron manejando el uso de los fondos del presupuesto de la sucursal de Santa Cruz. (Agencia de Emigración en el Extranjero)

Para dar la bienvenida al personal de apoyo que había sido convocado, el Gerente de la Oficina de Okinawa de Sekai Nishino retiró sus ahorros. En la sucursal de Santa Cruz, todos, desde el personal enviado hasta el personal contratado localmente, reservó el 10 % de su salario para atender a los visitantes de Tokio.

Esto era para evitar sospechas de que "el dinero se había utilizado indebidamente para comer y beber".

El trabajo se prolongó todos los días hasta altas horas de la noche, a veces incluso toda la noche, pero nadie se quejó. Todo el personal trabajó en conjunto para apoyar la recuperación del área de inmigración de Okinawa.

Incluso después de que se completó la instalación, el Sr. Ikeda supervisó constantemente el funcionamiento de la fábrica.

De manera similar, en una mesa redonda la revista del vigésimo aniversario de CAICO, Sr. Hiroshi Kochi, director y gerente general, dijo: “Solo el algodón puede salvar esta área de inmigrantes. La política del Agencia de Emigración en el Extranjero es producir algodón y terminar con la crianza de reses y a cambio brindar fondos a la Colonia Okinawa. Además, si no nos unimos al auge del algodón en Santa Cruz, la situación será tal que los que no cultiven algodón, no serán agricultores”.

Aquí radica lo implacable de pedir dinero prestado. En primer lugar, incluso el autofinanciamiento de CAICO, que era la premisa del préstamo, fue un préstamo y no autofinanciamiento.

A menos que esta fábrica fuera rentable, CAICO nunca podría devolver el dinero que tomó prestado.

También traicionaría la buena voluntad del Sr. José Kawai, quien le

Construcción de la fábrica de algodón (1972 foto tomada por el autor)

proporcionó dinero "sin intereses, sin garantía e ilimitado".

Solo cuando los agricultores produjeran suficiente algodón para que las fábricas funcionarán al 100% de su capacidad, estas podrían volverse rentables y el dinero prestado podría ser devuelto.

Tuvieron que hacer lo que fuera necesario para que los agricultores cambiaran al cultivo de algodón.

Naturalmente, entre los agricultores que no lo entendieron completamente, era inevitable incluso que hubiera gente que pensara "Watanabe quien está a cargo de los préstamos para la Agencia de Emigración en el Extranjero, está llevando a cabo el asunto a la fuerza".

Primeros pasos de la asociación

Estar acostado boca arriba en una cama dura en el Hospital Central de Okinawa escuchando la construcción de la desmotadora, no era más que dolor. El director Dr. Atsushi estaba preocupado de que tuviera efectos secundarios graves por lo que ni siquiera me permitió visitar el sitio de construcción. Me ordenó estrictamente que durmiera tranquilamente en mi cama.

Simultáneamente a la construcción de una desmotadora, era necesario reformar urgentemente la conciencia de los miembros de la cooperativa.

Debido a que el grado de compromiso no era muy fuerte entre la institución que administraba asuntos internos de la colonia y las cooperativas independientes de cada colonia que también funcionaban como cooperativas agrícolas, esperábamos que la nueva cooperativa CAICO se convirtiera en una estricta organización económica con solida personalidad jurídica. Teníamos que lograr que todos en la Colonia Okinawa entendiera la situación real. Para llevar a cabo actividades de pleno derecho como una entidad, pero con una gran cantidad de deuda no podíamos avanzar sin sensibilizar a todos y confirmar las obligaciones correspondientes que tenían cada uno de sus componentes.

Quedó en mis manos el borrador de la carta que escribí para todos en la Colonia Okinawa y que nos daba una pista de cómo fue el "Comienzo de CAICO", escrita mientras estaba internado en mi habitación del hospital, escuchando la construcción de la fábrica de desmotado de algodón.

Es vergonzoso decir que acababa de cumplir 30 años cuando escribí la carta. No era una redacción apropiada. No tenía la suficiente experiencia. Pero puedo decir que estaba bien explicado en ella el estado de CAICO en dicha época en que apenas comenzaba a caminar. Basándome en ese borrador, traté de escribir nuevamente la carta que a continuación les muestro:

A todos los miembros de CAICO:

"Medidas de recuperación y el papel de los miembros de la Cooperativa"

El negocio algodonero de la Colonia Okinawa, que es una medida para reactivar la situación, ha contado con el apoyo tanto material como espiritual del Sr. Kawai, presidente de Toyota Boliviana y la confianza de los japoneses del Banco do Brasil. La implementación de la fábrica de desmotado de algodón finalmente está a la vista y este año comenzará la plantación a gran escala de 2.300 hectáreas de algodón.

Además, con el fin de administrar una desmotadora, nació CAICO adquiriendo personalidad jurídica en base a la Ley de Cooperativas Agropecuarias de Bolivia. Se decidió operar la fábrica y vender el algodón producido. Este es el renacimiento de la colonia.

Ahora, al área de inmigración se le exige desde dentro desde fuera que se convierta en un adulto con pleno derecho. Es un trabajo duro, pero si no podemos responder a este desafío, la Colonia Okinawa está destinada a perecer.

Por lo tanto, me gustaría expresar mis pensamientos sobre qué tipo de demandas se le están haciendo a Colonia Okinawa y cómo podemos cumplirlas y valernos por nosotros mismos.

1. Sobre la fábrica de desmotado de algodón.

La desmotadora de algodón se ha instalado con una inversión de 400,000 dólares, incluidos los intereses diferidos de las máquinas. Por supuesto, todo es deuda. Aquí viene una de las demandas implacables.

Esta fábrica de desmotado prestada tuvo que ser asumida en un plazo de tres años. Actualmente, ha comenzado la construcción de una fábrica en la Colonia bajo la dirección del Sr. Nishino, director y responsable de la Oficina de Okinawa de la Agencia de Emigración en el Extranjero de Japón. El pago de la deuda relacionada con el precio de compra de esta máquina desmotadora de algodón debe ser realizado por la cooperativa, es decir del esfuerzo de sus mismos miembros.

Este reembolso no es tan generoso como el del Servicio de Emigración en el Extranjero de Ryukyu.

Ya que estamos tratando con empresas estadounidenses y las agencias de crédito estadounidenses, están involucrados el Export-Import Bank y el Banco de Brasil, si este pago no es posible, la Colonia Okinawa será estigmatizada por el público como no confiable y no podrá realizar actividades económicas en adelante.

El monto a pagar en el año fiscal 1972 es:

- *Primer pago diferido para planta desmotadora de algodón $87,000*
- *La tasa de interés $28,000*
- *Pago de intereses a la Agencia de Emigración en el Extranjero: $7,000 (capital diferido)*
- *Gastos de personal, gastos administrativos, etc. $14.500*
- *Otros gastos diversos $68.500*

.... Total $205.000

Por otro lado

- *Los ingresos por honorarios de desmotado son de········ $120.000*
- *El déficit de saldo es de ··· $ 85 000*

Este déficit no se le puede imponer a nadie.

Para que la desmotadora sea de propiedad del productor, dependerá de la posibilidad de cada uno. En otras palabras, cada miembro, estará obligado a pagar los costos adecuados según el grado de uso.

Esto es una ayuda a CAICO en forma de inversión.

Estoy pensando en dos métodos de inversión, uno sería una inversión básica única de 20 dólares por hectárea de área cultivada, y el otro sería un fondo de reserva obligatorio para ahorrar un cierto porcentaje de la tarifa de venta anual de cada persona.

La planta desmotadora de algodón tiene una capacidad máxima de procesamiento de 3.000 hectáreas.

- *Inversión básica este año: 2000 ha × 20 dólares = 40,000 dólares*
- *Año fiscal 1972 • 1000 ha × 20 dólares = 20,000 dólares*

Total 60,000 dólares

- *Fondo de reserva obligatorio del 3% de las ventas estimadas*

30,000 dólares

Total 90,000 dólares

Como resultado, se puede cubrir el déficit de 85,000 dólares

De esta forma eliminamos por completo la práctica convencional de la uniformidad.

Si todos ponen la misma cantidad de inversión, la cantidad mínima se establecerá en base a la cantidad menor que den las personas y será igual para todos, y esto no nos permitirá iniciar un negocio próspero. Para mejorar este sistema de mala administración, cambiaremos dinámicamente las actividades cooperativistas con derechos y obligaciones que corresponden de acuerdo a las posibilidades de cada uno.

Para cultivo de 10 hectáreas

- *Calculamos ventas de 10 ha × 15 q (Quintal) × $ 30/q = $ 4500.*

q (quintal) es la masa de un paquete de algodón (fardo), que pesa unos 46 Kg.

Los fondos de reserva por este depósito serán:

- *Reserva básica 10 ha × 20 dólares = 200 dólares.*
- *Fondo de reserva obligatorio del 3% de las ventas: $ 135 en total, totalizando sería $ 335.*

El fondo de reserva para un cooperativista que cultive 20 hectáreas, que es el doble de esa cantidad, será de $ 670.

Dependiendo del monto de esta reserva, también se determina el monto del crédito de CAICO, lo que crea una disparidad. Los derechos y obligaciones de cada miembro de la cooperativa serán diferentes según su posibilidad y grado de uso de la desmotadora Esto es algo que no se puede evitar para que CAICO se desarrolle.

2. Ventas de algodón y compra de semillas y medicinas:

El negocio de CAICO no se limita al desmotado de algodón, sino que, a través de la venta del algodón producido por todos y la compra a granel de semillas y productos químicos, nuestro objetivo es mejorar los servicios que brindamos a nuestros miembros.

El prototipo de algodón obtenido de apenas 240 hectáreas cosechadas este año fue de 670 fardos (empacado) debido al procesamiento encargado en una fábrica de desmotado de algodón. Fue difícil realizar esta venta.

ADEPA (Asociación Algodonera de Santa Cruz), que agrupa a los productores de algodón, era poco confiable debido a la falta de capacidad administrativa, y CAICO no tuvo más remedio que manejar los procedimientos de exportación por sí misma. El Sr. Masafuku Tamaki, gerente de CAICO, el Sr. Kenji Taira y el Sr. Genshin Nema, viajaron a La Paz, negociaron con el Ministerio de Comercio e Industria y el Ministerio de Finanzas, obtuvieron una licencia de exportación, negociaron con la Oficina de Ferrocarriles y finalmente lo hicieron a tiempo para el envío del producto por barco. Lo mismo se aplicó a la compra de semillas y pesticidas.

No sé qué pasará si dejo las cosas en manos de ADEPA, entonces voy a ayudar a CAICO para que actúe de forma independiente para que no se obstaculice los planes productivos de los asociados.

El crédito de CAICO planeado actualmente para productores de 10 hectáreas es el siguiente:

- *Tarifa de semilla ·································· 10 dólares × 9 dólares = $ 90*
- *Agentes como desinfectantes, etc.*
  ··· 10 dólares × 54 dólares = $ 540
- *Tarifa de desmotado de algodón*
  ··· 10 dólares ×15q×4 dólares= $ 600
- *Costos de venta y transporte: 10 ha × 3 fardo (15 q) × 9 = $ 270*

En total $ 1,500

- *Cantidad esperada de ventas ·································· $ 4,500*

Después de descontar los gastos, el monto de liquidación estimado para el miembro de cultivo de 10 hectáreas será de $ 3.000.

3. Miembros productores:

Dado que CAICO proporciona una gran cantidad de crédito a los miembros de las Cooperativa hasta que reciben el pago por el algodón vendido como se mencionó anteriormente, los miembros también están obligados a aumentar la cantidad de producción que prometieron.

En primer lugar, les pediremos que hagan un pago por adelantado de una inversión básica de $ 20 por hectárea de área cultivada. Esta inversión y el fondo de reserva obligatorio del 3% del precio de venta acumulado cada año, servirá como garantía en el futuro para que los miembros reciban crédito de CAICO, cuantas más reservas tengan, más servicios recibirán de CAICO, por lo que me gustaría que realizarán una cosecha de algodón debidamente declarada.

Esta reserva desempeñará el papel de reservas internas en preparación para malas cosechas en el futuro. Espero que tanto CAICO como los miembros de la cooperativa tengan buenas cosechas para que puedan soportar la recesión.

Procurar establecer buenas relaciones entre las obligaciones y los beneficios.

Actos como el desvío de algodón a otros comerciantes sin la aprobación de la cooperativa traerán desventajas para CAICO y a todos los miembros de la cooperativa. De hacer esto, no podrán recibir ningún servicio y mucho menos recibir el retorno de la inversión. La cooperación mutua es fundamental para la relación entre la cooperativa y sus miembros.

4. Establecimiento del estatus social de CAICO:

CAICO tiene como objetivo establecer y mejorar su posición como organización económica en la sociedad boliviana.

En el pasado, el nombre "Colonia Okinawa" no tenía credibilidad ni autoridad alguna. En las negociaciones hasta el momento, incluso si el personal de la Federación de los habitantes de Okinawa solicitaba una reunión con una persona influyente aquí, no se reunían. He oído que les hacían esperar una o dos horas incluso cuando ya tenían marcada una reunión.

De esta manera no podemos ayudar a los miembros de la cooperativa, así que velaremos por la mejora de la posición social de CAICO, a fin de mantener la apariencia y la dignidad del personal para que no se sientan avergonzados dondequiera que sean enviados, garantizaremos una vida segura al utilizar las comisiones de ventas recibidas de los miembros y alentaremos a los empleados a mejorar sus propias habilidades.

Afortunadamente CAICO ha reunido excelentes recursos humanos, estoy seguro de que se convertirán en miembros del personal con la capacidad de negociar y coordinar bien y representar a CAICO.

El camino trazado no será fácil, pero si todos cooperan para superar los obstáculos, estoy seguro de que en el futuro CAICO se convertirá en una cooperativa poderosa y confiable que puede salvar a sus miembros.

Escrito por Hideki Watanabe

Movilización de soldados para la cosecha de algodón

A medida que el algodón crece y los botones de flor comienzan a hincharse, la llegada de la cosecha se vuelve emocionante.

Sin embargo, de repente surgió el problema de cómo manejar la cosecha. El auge del algodón generó una escasez de mano de obra en Santa Cruz, que tenía una población pequeña. Se decidió recorrer las ciudades, pueblos y aldeas de la Cordillera de los Andes, zona alejada de la colonia que contaba con gran población para reclutar trabajadores. Mis compañeros de la sucursal de Santa Cruz naturalmente se opusieron a esto, ya que sería extremadamente peligroso visitar senderos de montaña donde los caminos no tenían mantenimiento, muy diferentes a los caminos acostumbrados.

"Pase lo que pase, la Agencia de Emigración en el Extranjero, no se hará responsable".

Hice un memorándum con este mensaje, y pedí que sacaran un jeep nuevo que acababa de llegar para viajar hacia el occidente y hacer el reclutamiento.

Miyagi Tokusho, presidente de CAICO, dos miembros del personal y yo, los cuatro, partimos.

No solo la mayoría de las carreteras no estaban pavimentadas, sino que había innumerables lugares en los que, al aproximarse un vehículo en sentido contrario, una parte de la llanta quedaba al aire teniendo como fondo un abismo.

En las curvas cerradas, había lugares no solo con una cruz, sino hasta cinco o seis, en memoria de los fallecidos en accidentes ocurridos en la carretera.

Saliendo de Santa Cruz camino a Cochabamba, a unos 500 km en medio de la Cordillera de los Andes, a una altitud de unos 1500 m, hay un

Las flores blancas de algodón florecieron maravillosamente
(1972 foto tomada por el autor)

lugar difícil de transitar llamado Siberia que está cubierto de niebla todo el año. Anteriormente, cuando había guiado a un investigador de musgo de Japón al Museo Nacional, me dijo que ese lugar era un tesoro de musgo como ningún otro en el mundo. El paisaje entre la espesa niebla donde apenas llegaba la luz generaba la ilusión de estar en el fondo del mar.

No podía ver cinco metros adelante en la espesa niebla así que le pedí al Sr. Akira Machida que caminara frente al auto y conduje despacio. Había casi 10 cruces en cada curva.

Ese no era un lugar en que se podía confiar en la intuición para conducir.

Conducir sin ayuda podía ser fatal.

Cuando nos dirigíamos de Cochabamba a Sucre, pudimos ver que más adelante las montañas estaban cubiertas de nubes oscuras por lo que entendimos que en ese lugar habría truenos y fuertes lluvias. No había puente en el río de 80 m de ancho, por lo que los automóviles cruzaban sumergiéndose en el río.

La gente del lugar nos dijo que no cruzáramos el río porque venía un turbión (tsunami del río), así que esperamos y esperamos. En el Rio había un autobús abandonado oxidado que había sido arrastrado y no pudieron mover. Nos detuvimos durante unas cinco horas para poder cruzar.

Temprano por la mañana en el camino de Potosí a Oruro, un hueso de cabra pinchó una llanta y la desinfló.

Cambié la llanta de repuesto y cerca del mediodía salimos a la carretera de grava y corrimos cómodamente a alta velocidad.

Sin embargo, después de un tiempo, me sorprendió un sonido retumbante, detuve el auto a toda prisa y al ver qué pasaba vi que las llantas estaban hinchadas al doble de su tamaño.

Nos salvamos con las justas. A medida que aumentaba la altitud y disminuía la presión del aire, el aire del neumático se expandía debido al calor por fricción de la conducción a alta velocidad. Si hubiera explotado, hubiera sido mortal.

Se dañaron dos neumáticos y nos quedamos atascados. El señor Machida decidió llevar las llantas a Oruro, reparar una llanta y reemplazar la que estaba a punto de reventarse por una nueva, pero no pasaban camiones que se dirigían a Oruro. Después de unas dos horas de espera,

camino en zig zag por el que se sube a la Cordillera de Los Andes (1972 foto tomada por el autor)

finalmente encontró movilidad. Caía la noche y Machida no regresaba.

Con la puesta del sol, la temperatura descendía rápidamente y hacía frío. Tenía poca gasolina y no sabía dónde estaba la próxima estación de gasolina, así que ni siquiera podía encender el motor para calentarnos.

Encendí una vela pensando que estaría un poco más caliente, pero como había poco oxígeno se apagó en menos de 30 segundos.

El Sr. Machida finalmente regresó alrededor de las 11 de la noche. Como era domingo, tuvo problemas para encontrar un taller de reparación, y además tuvo problemas para encontrar un camión para regresar.

Era alrededor de la medianoche cuando pudimos encontrar un hotel en Oruro y descansar.

La visita al Salar de Uyuni, que era la única diversión para este viaje, lastimosamente no se hizo realidad.

El viaje de 3,000 kilómetros por las ciudades de la Cordillera de los Andes lleno de peligros y penurias no dio resultados en la búsqueda de trabajadores. No hubo reacción por parte del ayuntamiento.

Primero, entendí que, para los habitantes del occidente, Santa Cruz era un mundo diferente y sería difícil que se mudaran allí sin tener la seguridad para sus familiares, y sin la presencia de personas del mismo pueblo.

Bolivia es un país multiétnico con muchos idiomas étnicos, en las comunidades andinas y la gente los usa diariamente más que el español.

Incluso en Japón, la gente de las zonas rurales busca trabajo en lugares en los que hay personas que hablan su mismo dialecto como también busca lugares donde alguno de los suyos conoce o vive.

No tenía suficiente conocimiento sobre esto por lo que todo nuestro esfuerzo fue en vano.

Cuando estaba luchando por idear una contramedida, los miembros jóvenes del personal se acercaron a mí trayéndome información de que podríamos contar con la ayuda de las fuerzas armadas. Inmediatamente entramos en negociaciones y se acordó que CAICO compraría un juego de uniformes militares y botas para los reclutas de la 8ª División en Santa Cruz, y que también pagaría sus salarios.

Fui a la división con el personal de CAICO y contratamos a unos 200 reclutas.

Lo que me sorprendió fue que aproximadamente 3 de cada 10 personas no podían escribir sus propios nombres.

Me sorprendió que hubiera tanto analfabetismo. Escribí las dos primeras letras del contrato y les pedí que las imitaran y rellenaran la columna de la firma.

Al fondo el Cerro de Potosí famoso en el mundo por las grandes cantidades de plata que posee al igual que la mina de plata de Iwami (Japón), en el centro el Sr. Akira Machida (Foto tomada por el autor en 1972)

Crisis de división de la colonia

El algodón estaba creciendo bien, y justo antes de la cosecha, el precio se disparó, y el futuro del cultivo de algodón como producto parecía prometedor para todos.

Luego, en la primera colonia, los inmigrantes que tuvieron interacción con la gente local que era influyente y que se encontraban en condiciones económicas relativamente buenas al administrar tiendas y restaurantes, comenzaron a establecer sus propias fábricas de desmotado de algodón.

El grupo independiente estableció astutamente otro sindicato a nombre de sus esposas.

Si eso sucedía, la tasa de operación de la fábrica de CAICO caería y el negocio no se mantendría, por lo que CAICO intentó evitarlo y el conflicto se intensificó.

En el bar, las peleas entre los dos grupos a menudo se convertían en pelea con puñetazos. En medio de esto, cuando visité la oficina de la primera cooperativa agrícola de la colonia, el gerente Kotei Gushiken (luego presidente de la cooperativa CAICO), salió con los anteojos rotos pegados con cinta adhesiva y los ojos rojos manchados de sangre.

Él dijo: "Me emborraché, me caí y me golpeé la cara con un implemento agrícola". era obvio que no era así, aunque le pregunté muchas veces, no dijo nada.

Más tarde, me enteré de que el grupo independiente había asistido a su casa para una fiesta de inauguración, y que fue en dicho banquete que ese grupo lo golpeó después de que una discusión se convirtiera en pelea.

Fue un incidente sin precedentes que fuera golpeado durante una celebración en su propia casa por una persona a la que no había invitado.

Una vez que las dos grandes ruedas de los sueños y los deseos comerciales cobran impulso y comenzaban a girar,

los frenos no funcionaban.

La codicia nos hace olvidar la palabra "suficiente".

Los funcionarios de CAICO, el personal de las cooperativas agrícolas y los acreedores estaban trabajando arduamente para detener esta situación, por eso los conflictos se intensificaron y los inmigrantes se enfrentaron al real peligro de la división.

Pelea con una gran empresa comercial

Peor aún, una transacción había dado a los independientes un buen material de ataque.

Esto se debía a que CAICO tenía un contrato con una empresa comercial japonesa que le daba una cobertura para vender desde la etapa de siembra parte del volumen de producción a precios por encima de la media de los precios volátiles del algodón.

Esta es una técnica de uso frecuente en el comercio de productos básicos.

Si los precios del algodón caían por debajo de la media, "sería elogiado por previsión", pero si el precio subía mucho más que la media, el sentido de negociación de los ejecutivos sería catalogado como "fracaso en la

Fábrica de algodón de CAICO, algodón blanco y puro limpio de impurezas convertido en producto de exportación (Foto tomada por el autor en 1972)

obtención de ganancias".

A diferencia de administrar algo para solo una persona, era más problemático administrar una cooperativa que tiene muchos miembros.

En particular, para los separatistas que se enfrentaron a una crisis de secesión, el precio predominante, que es más alto que en la etapa de siembra, se convirtió en un buen material para atacar a CAICO.

En sus primeras negociaciones comerciales con el algodón, ciertamente tuve la ingenuidad de creer en las palabras: "Entre japoneses, no haremos cosas que nos puedan perjudicar".

La Junta Directiva de CAICO decidió "Dado que la diferencia de precio es demasiado grande, ¿podrá subir el precio de la parte no vendida? si no puede lo entendemos, pero si puede, continuaremos haciendo negocios únicamente con esa empresa". Todos estuvieron de acuerdo. No tenían intención de romper el contrato.

El presidente Miyagi dijo que iría a visitar al jefe del departamento de algodón de la empresa que estaba en la zona y le contaría la decisión de la Junta Directiva, así que lo acompañé.

El jefe de la Agencia de Emigración en el Extranjero, Suenaga advirtió que la agencia no debía intervenir en las transacciones, pero en esta crisis de división, sentí que, si no podíamos obtener una buena respuesta, debido a la forma de ser del presidente Miyagi, él asumiría la responsabilidad y renunciaría. Si eso sucedía, sería inevitable separarnos, así que creí que podría ayudar, aunque sea un poco y lo acompañé.

El presidente Miyagi inclinó cortésmente la cabeza, como si fuera DOGEZA (formalidad japonesa para pedir un favor agachando la cabeza hasta el suelo)

Sin embargo, el gerente de algodón de repente se enojó y dijo: "¡Un contrato es un contrato!", la actitud de menospreciar al presidente del sindicato Miyagi era obvia.

Eso encendió mi espíritu rebelde. Cuando le dije: "Por favor, haga algo al respecto", él me dijo: "No respondo por lo que te va a pasar a ti también".

Entonces me dio a entender que: "Con nuestra fuerza organizativa y conexiones personales, podemos despedir a la oficina de la Agencia de Emigración en el Extranjero".

"¡Aquí vamos!", pensé. Sin dudarlo, respondí: "Si despedirme es la solución, estoy de acuerdo". Pero a cambio, asumamos que no hubo contrato". Tomé del brazo al presidente del sindicato Miyagi y lo levanté de su asiento.

El Sr. Miyagi, preocupado por mí, intentó regresar una y otra vez, diciendo: "Vamos con el precio del contrato", desde el principio me invadió el deseo de proteger absolutamente al Sr. Miyagi quien me había dado plena confianza cuando era joven.

Además, si regresábamos, habría parecido que vendimos a la colonia para protegerme.

Pensé que si eso sucedía: "No habría un mañana para mí", por lo que no había en absoluto manera de que pudiera echarme para atrás.

En Tokio, la sede de la Agencia Emigración en el Extranjero recibió una denuncia de dicha empresa comercial que me difamaba diciendo que habían incumplido un contrato válido, lo que pareció haberse convertido en un gran problema.

Sin embargo, estaba decidido a que "Pase lo que pase, aceptaría cualquier castigo manteniendo mi compromiso"

Creo que puse en apuros a la sede central, recibí muchas llamadas internacionales, pero no cogí ninguna e hice como si no estuviera en casa.

Por otro lado, CAICO podía negociar el monto total a un precio alto, aunque quedó una sensación ciertamente incomoda, también se evitó la división de la cooperativa, el negocio del algodón y las ganancias en el primer año fueron un éxito rotundo, superando las expectativas.

Con una superficie cultivada de 2.387 hectáreas, se exportaron 4.217 pacas de fardo, con ventas registradas de $ 634,508.

Sin embargo, este incidente causó muchos problemas para el Sr. Suenaga, jefe de la Agencia de Emigración y muchas otras personas.

Masao Nishina, gerente general del departamento de asuntos generales, quien visitó el sitio en un viaje de negocios, me advirtió "Cuídate más".

Me dijo: "No pasa un día sin que usted sea el tema de discusión en una reunión de la junta. En cada ocasión el presidente Kashimura para protegerte dice: "Está trabajando, obvio que eso hace enemigos. No debe ser tema de reunión las calumnias contra Watanabe", me sentí muy agradecido.

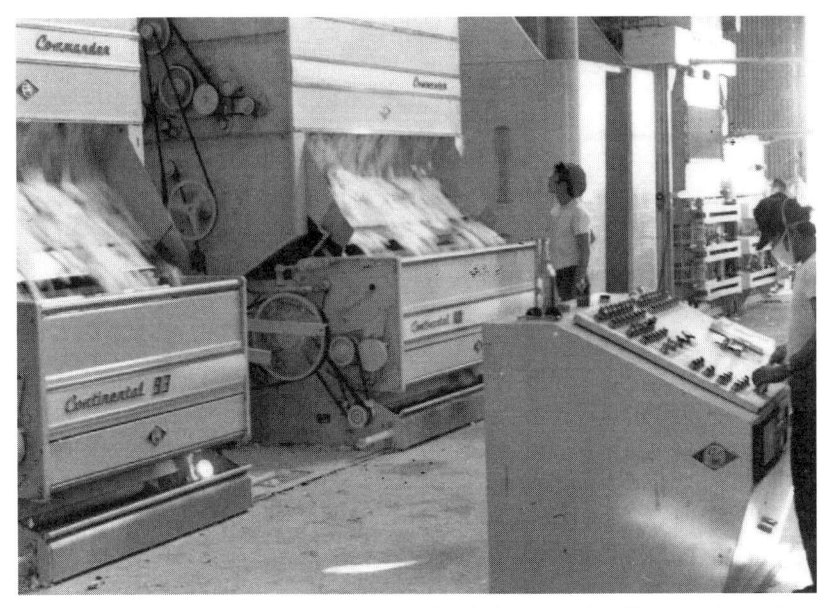

Algodón blanco y puro limpio de impurezas. Al fondo máquina prensadora (Foto tomada por el autor en 1972)

La empresa comercial también parecía haber dejado de presionar más a Nobuo Kashimura, presidente de la Agencia y ex comisionado de la Agencia Nacional de Policía.

Gracias a eso, no hubo reproche por una serie de acciones erráticas, incluido este caso.

En 1973, las plantaciones de algodón crecieron constantemente llegando a 3,916 hectáreas, y todos pensaron que la tierra de inmigrantes de Okinawa había vuelto a la vida.

Mirando el cultivo y las ventas generales de algodón de CAICO, y los ingresos agrícolas de cada hogar por año.

Año	Área de cultivo de algodón (hectárea)	Ventas (dólares)	Ingreso agrícola por hogar (peso)
1971	240 (cultivo de prueba)	413	
1972	2,387 (siembra)	634,508	14,301
1973	3,916 (siembra del año anterior)	1,549,842	50,821

En 1971, año en que se estableció CAICO, el ingreso promedio de los agricultores individuales era casi cero, con los ingresos creciendo en proporción al cultivo de algodón, la colonia también se reactivó y se dijo que finalmente se había encontrado una salida.

Durante la temporada de cosecha las fábricas de desmotado estaban brillantemente iluminadas y rugían con sonidos agradables, después de sacar las impurezas se obtenía el algodón puro y blanco, luego, una fila de espléndidos paquetes de algodón que se había convertido en producto internacional empaquetados con un cinturón de hierro negro espléndidamente comprimidos en un gran paquete de forma rectangular.

Todo esto era suficiente para llenar de alegría, orgullo y una sensación de logro a los productores que lo habían hecho todo con sus manos.

Visita del gobernador Chobyo Yara

En abril de 1973, cuando tal sensación de júbilo invadió la colonia, la comunidad estaba llena de vigor. El Sr. Chobyo Yara y su esposa, quien se convirtió en el primer gobernador de la Prefectura de Okinawa después de la devolución de Okinawa a Japón, visitaron la Colonia Okinawa. Como los propios familiares del gobernador también habían emigrado a la Colonia 3, se sintió aliviado al ver el auge y su visita dio mucha alegría.

Durante la estadía del gobernador Yara en Santa Cruz, serví de guía para él y su esposa.

Todas las noches después de terminar el itinerario y llevarlos a su hospedaje recibía sin falta una invitación ¡"Vamos a tomar una copa"! Pasábamos el tiempo charlando junto a su esposa.

El gobernador que había salido de Japón y estaba libre del duro trabajo diario y de la cobertura de los medios, se veía muy feliz.

Abriendo su corazón y con la afirmación de su esposa, me contaba información confidencial sobre lo que pasó cuando Okinawa fue devuelta a Japón.

Las charlas de las tres noches duraron más de dos horas cada día. Si hubiera sido grabada en una cinta, podría haberse convertido en un valioso documental histórico.

Delante de la oficina de CAICO en la segunda colonia, el gobernador Yara Chobyo y su esposa durante la reunión de bienvenida. A la derecha, el autor con una cámara en la mano. (abril de 1973)

Además, le expliqué al gobernador Yara la amabilidad del Sr. José Kawai cuando se estableció CAICO y le pedí que cuando estuviera hospedado en La Paz, le hiciera una visita de cortesía para expresar su agradecimiento. Poco antes de publicar este libro, el diario del gobernador Yara se hizo público en los Archivos de la Prefectura de Okinawa en el cual este hecho también está registrado.

En 1974, un año después de que el negocio del algodón parecía estar encaminado, sin ver los resultados de 4,410 hectáreas de cultivo de algodón, me ordenaron regresar a Japón después de recibir una gran despedida de todos en la Colonia Okinawa, terminé de trabajar en Santa Cruz donde estaba acostumbrado a vivir desde hacía cinco años.

Debido a que fueron una serie de demasiados eventos uno tras otro, apenas podía recordarlos, pero cuando participé en la “Ceremonia del 110 Aniversario de la llegada del Primer Okinawense a Bolivia”, al entrar en contacto con el paisaje de la Colonia Okinawa y la gente con la que

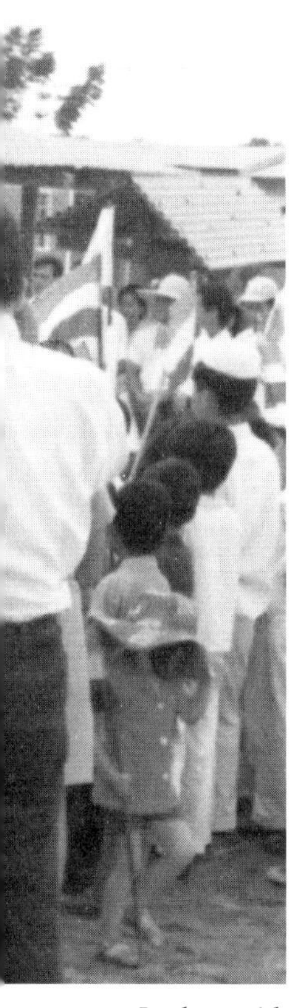

compartí alegrías y tristezas, misteriosamente vinieron a mi mente claros recuerdos de esa época.

Me sorprendió lo bien que recordaba los nombres de las personas.

Los años de fundación de CAICO fueron una serie de eventos problemáticos.

No estaba en condiciones de sentarme y observar la destrucción de la Colonia Okinawa.

Todo el personal de la Agencia de Emigración en el Extranjero sucursal Santa Cruz se unió para apoyar la recuperación y el éxito de la Colonia Okinawa.

Hable sobre la experiencia en ese momento tal como la recordaba.

Sería genial poder rellenar algunos de los espacios en blanco en la historia de CAICO.

Sin embargo, mi experiencia se limita a la fase de negociaciones externas que tuvo CAICO en ese entonces.

Incluso si hubiera podido hacer algo, no estaba en mi poder.

Creo que la fuerza y el coraje de la gente misma de la Colonia Okinawa con quienes he tenido la oportunidad de interactuar de cerca, y la confianza inquebrantable que me brindaron, me dieron la fuerza necesaria para trabajar.

El negocio del algodón también terminó, dejando atrás enormes deudas. Aunque no tuve más remedio que hacer lo que hice, los resultados lo son todo en un negocio. Yo que lo impulsé, naturalmente doy por hecho que seré criticado.

Debe haber historias de grandes conflictos y dificultades para recuperarse de la situación.

Los verdaderos protagonistas de la historia son los agricultores de la colonia.

Me gustaría mucho conocer la trayectoria del proceso de sus penurias y sus corazones indómitos que no se dejaron vencer.

La historia del período de fundación de CAICO estará completa solo después de escuchar dichas historias.

Maquinaria pesada adquirida para el desarrollo de infraestructura de la Colonia Okinawa. Oficina de la Agencia de Emigración de Okinawa. (Foto tomada por el autor en 1971)

Trabajos de dragado de drenaje realizados por La Agencia de Emigración en Colonia Okinawa como medida de prevención contra los daños por inundación (Foto tomada por el autor en 1971)

Parte 5

Gestión de empresas conjuntas Japón-Bolivia 1978-1983

La vida en Bolivia por segunda vez

Lucha contra el racismo

Con el éxito del negocio del algodón en los primeros dos años, todos pensaron que la Colonia Okinawa había resucitado. Con este resultado en mayo de 1974 regresé a Japón después de cinco años de trabajo.

Pero, después de ello, las cosas cambiaron completamente.

El negocio del algodón que debería ser una carta de éxito, se vino abajo.

En 1974, cuando comenzó la siembra de algodón, la cantidad de lluvia en la Colonia Okinawa comenzó a aumentar, el clima ya no era adecuado para el cultivo del algodón y el rendimiento disminuyó drásticamente.

Además, la crisis del petróleo que comenzó en 1973 sumió al mundo en una recesión.

Los precios internacionales del algodón también se desplomaron. Se convirtió en una situación en la que el algodón producido no se podía vender.

El cultivo del algodón terminó en 1981, y en 1983 se vendió a Paraguay la máquina desmotadora, dejando así el ciclo del auge del algodón completamente cerrado, pero quedando enormes deudas. Como resultado, la evaluación hacia mi persona cambió a 180 grados viéndoseme como "una mala persona que endeudó enormemente a la colonia".

JICA se estableció el 1 de agosto de 1974 y cuando regresé a Japón, me convertí en personal de JICA. Sin embargo, después de trabajar solo durante tres años para JICA, me retire a fines de 1977. Regresé a Santa Cruz en 1978 como presidente de una empresa de proyecto conjunto boliviano-japonesa quedándome a vivir nuevamente en Santa Cruz.

Todos me decían: "Es una tontería renunciar a JICA", pero tenía dos grandes motivos para regresar a Santa Cruz.

Una de las razones fue que el Sr. José Kawai y el inversionista de una empresa japonesa me pidieron que me convirtiera en presidente de una empresa conjunta entre Japón y Bolivia (Tonan Boliviana).

Una agencia local del gobierno japonés que se enteró de esto dijo: "No quieren que él regrese a Santa Cruz porque es la persona que hizo que la colonia contrajera una enorme deuda". Así de difícil fue reconstruir CAICO y la Colonia Okinawa. JICA como acreedor, debía haber estado luchando en su relación con el área de la inmigración, en parte porque no tenía que expresar sus opiniones. Porque el exempleado que ocasionó el problema viene de nuevo a Santa Cruz, es natural pensar que las cosas se complicaran cada vez más. Aun así, no podía negarme a la solicitud del Sr. José Kawai de venir nuevamente a Santa Cruz, con quien estaba inmensamente endeudado cuando se fundó CAICO ya que sin la buena voluntad del Sr. Kawai, CAICO ni siquiera existiría, así que quería retribuir en algo.

Y acabé viviendo de nuevo en Santa Cruz, a pesar de la mala reputación.

La empresa se dedicaba a cortar en finas láminas la madera en bruto del "Morado" (palo de rosa sudamericano), una madera similar al palo de rosa de la India, y la exportaba a Japón. En Japón, el producto se utilizó como material de superficie para pianos y muebles de alta gama. También producía muebles en Bolivia.

Fabricaba muebles para el mercado, nos encargábamos de los acabados y mobiliario para instalaciones de hospitales y edificios como el Aeropuerto Internacional Viru Viru, que fueron construidos uno tras otro con ayuda económica japonesa.

Y el otro era un motivo secreto que no dije a nadie.

No sé si pensarán que se trata de una tontería de juventud, pero era un desafío que parecía imposible en ese momento, convertirme en el primer miembro regular japonés del prestigioso "Las Palmas Country Club" en Santa Cruz.

Cuando fui a vivir a Santa Cruz en 1969, un día de descanso mi familia y yo salimos a dar una vuelta por la ciudad.

De pronto, un elegante edificio de paredes blancas cubierto con hojas de palma, una piscina llena de agua azul frente a él y un vasto césped verde apareció ante mis ojos.

Curioso por ver qué era, me acerqué y vi a un guardia parado en la espléndida puerta.

Cuando pedí hacer un recorrido para visitarla, me dijo: "Este no es lugar para ustedes", y me envió de regreso como si estuviera espantando un gato o a un perro.

En ese momento, por alguna razón, de repente me dije decididamente: "Definitivamente le demostraré que puedo ingresar aquí".

Cuando iba por la calle, creo que hubo un tiempo en que me enfadaba con la forma burlona y despectiva con la que trataban a la raza amarilla "chino cochino".

"¡No soportaba que se burlaran de los japoneses!" esa ira se convirtió en una fuente de energía para mí.

Para los nikkei que viven en esta área, "Había una gran diferencia entre si un japonés podía convertirse en miembro o no. Valía la pena el desafío de mejorar el estatus social de los nikkei" pensé.

Troncos de árbol Morado apilados formando montañas de propiedad de la Empresa conjunta entre Japón y Bolivia (1980 foto tomada por el autor)

En la cooperativa de Okinawa me dijeron que incluso cuando pedían una reunión con un funcionario de alto rango de una organización local, se la negaban o los hacían esperar durante horas.

Cuando fui el único japonés invitado a una fiesta del presidente del Banco do Brasil, a la que habían invitado a políticos y empresarios de Santa Cruz y escuché decir ¿Por qué ese japuco está aquí?, me sentí frustrado.

Después de todas estas experiencias acumuladas como japonés, convertirme en un miembro regular de Las Palmas Country Club era extremadamente importante para mi.

Aunque es una exageración, "Vale la pena apostar para mejorar la vida de un hombre", pensé egoístamente.

Después de ser asignado a Santa Cruz por segunda vez, empezó el desafío de convertirme en un miembro regular de Las Palmas Country Club.

Después de un tiempo, afortunadamente, el Sr. Hans Hiller, Cónsul Honorario de Alemania Occidental, con quien habíamos construido una relación de confianza cuando importamos la planta desmotadora de algodón, fue nombrado presidente de Las Palmas.

Por invitación del Sr. Hiller, escuché sobre el club mientras cenaba en el restaurante del club.

Quedé convencido de que las condiciones de admisión eran estrictas.

No era solo un campo de golf como en Japón. Había piscinas, canchas de fútbol, canchas de tenis, canchas de squash, mesas de ping-pong y salas de juegos de cartas, casi todos los miembros pasaban ahí todo el día de descanso con sus familias.

De hecho, los hombres jugaban al golf y al fútbol, mientras que la esposa y los niños jugaban tenis, tenis de mesa o jugaban al lado de la piscina; al mediodía se encontraban y almorzaban juntos, así pasaban el día despreocupadamente, haciendo lo que les gustara.

Incluso entre semana, el restaurante ofrecía platos más sabrosos y más baratos que los restaurantes de la ciudad, por lo que era ideal para cenar con familiares y amigos.

Por supuesto, de la interacción entre los hijos de los miembros, podía surgir una relación romántica y terminar en matrimonio.

Quienes no deseaban tener parentesco con el solicitante votarían en contra, se decía que los requisitos para la admisión eran estrictos.

Se decía que no sería favorable si hubiera una sola persona que se opusiera, de los dieciséis solicitantes, yo fui uno de los dos que fueron aprobados, así que creo que se debió en gran parte a la influencia del Sr. Hiller.

Sin embargo, mentiría si dijera que no estaba preocupado.

Me preocupaba la presencia del presidente de la CRE (Cooperativa de Energía Eléctrica), Dante Pavisic, que cuando se enfadaba se convertía en un demonio, lo sabía porque una vez tuve una gran pelea con él por el problema del suministro eléctrico de CAICO.

Sin embargo, se me permitió unirme al club por lo que era evidente que no había objetado mi admisión.

Luego nos volvimos a encontrar, cuando nos cruzamos por casualidad, me dijo: "Juguemos juntos al golf la próxima vez".

Además, cuando me cruce con el Gobernador de Santa Cruz, Flores, me saludó con un "¡Hola! ¡Consuegro!". ¿Qué significa "consuegro"? hice una mueca de interrogación, me dijo: "Escuché que mi sobrino y su hija son pareja en la escuela primaria", y estuve de acuerdo con lo que dijo.

Los latinos son precoces. Su sobrino, Martín Flores, llamaba a mi hija todos los días.

Estaba más que feliz de ver esta amistad de niños como prueba de que el racismo había desaparecido.

Desde el primer nombramiento en 1969, pasaron unos 12 años antes de que dejara de lado la amargura que experimentaba cada vez que se hacía presente en la comunidad local el hecho de que "El clavo que sobresale siempre recibe un martillazo".

Continuando con la mejora del estatus social de los japoneses, aguantar, para decirlo de manera exagerada, mi lucha por: "vale la pena apostar para mejorar la vida de un hombre", me recordó que, ante el desarrollo económico de Japón y el poder nacional de la ayuda exterior, era un esfuerzo muy pequeño.

De la mano de JETRO Perú, se inauguró un rincón de Japón en la primera Feria Industrial de Santa Cruz.

Todos los que ayudamos a instalarlo nos emocionamos hasta las lágrimas al ver la bandera japonesa ondeando en lo alto del cielo de Santa Cruz.

Los productos de Toyota, Sony, Hitachi, etc. finalmente habían llegado a ser reconocidos como producidos por empresas japonesas. Hasta entonces, se pensaba que "Hecho en Japón" era un producto fabricado por empresas estadounidenses que ocuparon Japón construyendo fábricas en Japón y utilizando trabajadores japoneses.

La ayuda económica de Japón aumentó año tras año, y el prejuicio hasta ese momento se convirtió en una leyenda, y el grado de simpatía hacía los japoneses aumentó de inmediato.

Se construyeron hospitales en La Paz, Sucre, Cochabamba y Santa Cruz a través de una combinación de Nihon Sekkei y Fujita, y Azusa Sekkei y Toda Kensetsu. Nissho Iwai tomó la iniciativa en la construcción del Aeropuerto Internacional Viru Viru en la ciudad de Santa Cruz, y Fujita, Toshiba, Shinryo Corporation, etc. formaron un equipo.

La bandera japonesa flameando en el local de la primera Feria Industrial de Santa Cruz. (1970 foto tomada por el autor)

Nadie hacía objeto de discriminación a los japoneses llamándoles “personas refugiadas del país derrotado”.

Desarrollando una tierra inadecuada y salvaje de la que se decía que “ni siquiera un perro iría”, los inmigrantes japoneses desarrollaron en el norte de Santa Cruz una importante zona de producción agrícola, llegado a ser vistos con respeto.

Cuando fui a pedir que permitieran que los ingenieros involucrados en la construcción del aeropuerto fueran al club durante su estadía en Santa Cruz, fue increíblemente fácil que fueran aceptados.

Por otro lado, un amigo mío presidente de una empresa que empezó el desarrollo de las primeras infraestructuras de lujo a gran escala en Santa Cruz alrededor del campo de golf, era el hijo de un ex ministro británico a quién he olvidado cómo lo conocí, por alguna razón desconocida comenzó a contarme sus sueños incluso antes de que los planos estuvieran listos.

Dejándome llevar por su entusiasmo, le dije: “Seré tu primer cliente”. Cuando comenzó el desarrollo del terreno, trajo un plano en el que se especificaban 300 lotes y me dijo que eligiera el que me gustara.

Había un lote con vista al campo de golf, unos 3 metros más alto que los alrededores.

Esta gran mansión fue construida sobre el terreno que vendí (Foto tomada por el autor en 2018)

"discurso discriminatorio" sin piedad aún entre niños pequeños. Segundo, de izquierda a derecha, el hijo mayor del autor, (Foto tomada por el autor en 1978)

"Elegí ese". Me sorprendió porque realmente me vendió el que elegí.

Hablé de muchas cosas con él.

Por supuesto, sobre el desprecio y la persecución a los japoneses.

Entonces dijo algo inesperado. "Siento mucho esa situación. Como eres tú, en confianza te digo que hay algunas cosas sobre las que los japoneses deberían reflexionar."

"No hay otro país que trate tan mal la vida de sus soldados o incluso de sus ciudadanos, como obligarles a elegir la muerte antes que ser hechos prisioneros, los escuadrones suicidas kamikaze, los torpedos humanos, etc. Para el público británico y estadounidense esto parecía una locura. Es imperdonable, pero creo que el hecho de tener que terminar la guerra con un país tan fanático, debilitó la fuerza para detener la idea del lanzamiento de la bomba atómica".

Esto es igual a que te echen agua fría sobre tu cabeza. Una tristeza invadió mi pecho, acompañada de una indescriptible sensación de soledad y pensé: "Este es el fin en Bolivia".

Los fines de semana, siempre íbamos con mi familia al terreno que le compramos y hablábamos de nuestros sueños sobre qué tipo de casa construiríamos, con los planos de "101 Houses" que habíamos pedido a Estados Unidos. Con un sentido de arrogancia, decía: "Sería bueno que hubiera al menos un japonés que construyera una mansión en esta zona residencial de clase alta".

Me di cuenta de que tal obsesión era ridícula.

Afortunadamente, la administración de la empresa conjunta establecida con un préstamo de 300 millones de yenes de la Asociación de Comercio Exterior de Japón pudo generar ganancias en un solo año fiscal después tres años. Ganó la reputación de empresa modelo para la expansión en el extranjero de pequeñas y medianas empresas y cumplió con sus responsabilidades.

Obtuve el consentimiento del Sr. José Kawai.

El Sr. Kawai me hizo sostener un lingote de oro que había extraído de su propia mina y dijo: "Si sostienes esto, tendrás suerte. Si el Sr. Watanabe acepta el cargo de presidente, podemos abrir la mina ahora mismo".

Yo no era inexperto. Puede que haya sido inmaduro e infantil, pero había una sensación de logro. Y decidí volver a Japón sin construir una casa.

Cuando le conté sobre la situación, me dijo honradamente, aunque los terrenos han subido de precio "Cuando les muestre el plano de los terrenos, todos querrán tu terreno", me lo compró por el doble del precio que pagué por él.

Aunque era tan buen amigo, no recuerdo su nombre, probablemente porque no tenía un apellido latino. Todo se convirtió en una lejana ilusión del pasado.

Estuvo bien así.

Lo que no debía olvidarse era la guerra que no valoró la vida de las personas que debían ser protegidas.

La guerra es cruel. Incluso en lugares del otro lado del mundo donde no hay campos de batalla, ni pueblos que luchan entre sí, los japoneses sufrieron una severa discriminación que incluso les negaba su propia existencia.

La guerra es matarse entre sí.

La guerra es matar. Para no despertar el sentimiento de culpa en los soldados del propio país por matar soldados enemigos, se les educaba minuciosamente diciéndoles que la gente del país contrincante es una raza inferior, despreciable y fanática. Solo existía discriminación y odio.

Esta idea no se limita a su propio país, sino que además se extiende a todos sus aliados en todo el mundo.

Originalmente, los bolivianos no son personas que tengan mala voluntad hacia los japoneses.

La causa fue la estrategia de información de los Estados Unidos, que se convirtió en enemigo de Japón durante la Segunda Guerra Mundial.

Veintinueve de los japoneses en La Paz fueron tomados y encarcelados en campos de prisioneros en Estados Unidos.

Los periódicos, así como los noticieros en los cines, habían creado una imagen de los japoneses haciéndolos ver como personas malvadas a las que se les podía faltar el respeto y matar sin remordimientos.

Nunca pensé que encontraría tantas víctimas de la guerra en Bolivia.

La guerra sumerge en las profundidades de la infelicidad no solo a sus ciudadanos residentes en el país, sino también a sus ciudadanos en todo el mundo.

Veinticinco años después de la guerra, los prejuicios creados durante la guerra aún persistían, y yo mismo fui blanco de burlas.

Mi pequeño hijo mayor, sin saber por qué, ante el insulto de "chino sucio", respondía con firmeza: "No soy chino. Soy japonés", pero le quedaba una herida en el corazón.

Aunque nació y creció en Bolivia, en el fondo de su corazón no le gusta Bolivia, la razón es porque vivió amargas experiencias cuando era niño.

Los discursos discriminatorios no permiten que las personas, aunque hayan crecido ahí, se sientan arraigadas a un lugar.

Una vez arraigados en los pobladores, el 'desprecio' y los 'sentimientos de malicia' no se pueden borrar fácilmente.

Eso es un problema, ni siquiera sabes a quien dirigir tu ira.

Sin embargo, el rápido crecimiento económico de Japón y la cooperación internacional en forma de ayuda exterior cambiaron rápidamente la situación. "El país desarrollará fortalezas económicas, tecnológicas, científicas y culturales, y se dedicará a la diplomacia pacífica''. Esta era la única manera de que Japón sobreviviera. En el mundo globalizado de hoy, con el desarrollo de los SNS, las calumnias injustificadas son cada vez más intensas y se extienden por todas partes. El "discurso discriminatorio" es una guerra con palabras. Sin embargo, se debe saber que esto tampoco beneficia a quienes lo hacen.

Nada se produce a partir de él.

Destruye la dignidad de su propio país, agudiza las divisiones y los conflictos entre su pueblo y socava el poder del propio país.

Esta es mi convicción basada en mi experiencia en Bolivia.

Ceremonia del 50 Aniversario de la Inmigración de Okinawenses a Bolivia. De izquierda a derecha, sentado el presidente del comité organizador Sr. Kochi Hiroshi; de pie el Sr. Carlos Mesa, presidente de Bolivia; sentado detrás al lado derecho, el autor de este libro; la esposa del gobernador Inamine; sentado en la parte trasera el Presidente de la Asociación Okinawense Boliviana, Sr. Tamaki y el parlamentario Nishime Junshiro (agosto 2004)

Tecnócratas bolivianos y el autor (Hotel Los Tajibos en Santa Cruz 1974)

Parte 6

Viento Milagroso

Florecimiento de la agricultura mecanizada a gran escala

Durante el periodo que viví por segunda vez en Santa Cruz, me tildaron de responsable de que la colonia tuviera una gran deuda. No tuve negociaciones con CAICO, y no me llegó información de eventos de la Colonia Okinawa.

Después de regresar a Japón tras trabajar durante un tiempo para una empresa corporativa japonesa en Bolivia, establecí una empresa de administración de Inmuebles y me independicé, además de heredar el negocio de mis tíos, la Sra. Noriko Nishiwaki y su esposo, de quienes se podría decir que fueron mis padres de crianza.

La Academia de Señoritas de Alta Costura de Tokio, donde mi tía se desempeñaba como directora, también cerró debido a una drástica disminución en el número de mujeres que querían dedicarse a la confección. El edificio de la escuela solía estar alquilado, pero debido al estallido de la burbuja económica, había muchas habitaciones vacías y el edificio estaba en ruinas.

Saqué una gran cantidad de préstamo para reactivar el negocio, cuidando a la anciana pareja Nishiwaki, además estaba muy ocupado cuidando también a mis padres que no tenía tiempo de hacer nada más.

Durante mucho tiempo no tuve comunicación con Bolivia y la Colonia Okinawa.

Al darme cuenta, habían pasado 12 años.

Sin embargo, en 1986, de repente desde CAICO me enviaron a mi domicilio en Tokio un reconocimiento con el siguiente mensaje "Usted ha demostrado profundo conocimiento en el establecimiento de esta cooperativa y se ha dedicado y trabajado en beneficio de su poderosa promoción y engrandecimiento de la cooperativa guiando a la orientación de una gestión adecuada. Contribuyó a establecer una base sólida y mejorar el estatus de una Cooperativa Agrícola Nikkei en la sociedad boliviana actual...”

Al principio pensé que era una broma pesada.

No estaba tan familiarizado con la situación en la Colonia Okinawa.

Después de averiguar, descubrí que la Colonia Okinawa se había recuperado del fracaso del negocio del algodón e iba camino a la recuperación con gran impulso a través del cultivo a gran escala de la soja, trigo, etc.

El mayor factor detrás de este desarrollo fue la agricultura mecanizada a gran escala, que fue el resultado de las drásticas inversiones realizadas cuando se introdujo el algodón. Sobre esta base, la experiencia de cultivar, aprender cómo debe ser una organización cooperativa y administrarla, se convirtió en una gran fortaleza.

Junto con esto, la evaluación sobre mí parecía haber cambiado dos o tres veces de “bueno”, a “malo” y luego a “bueno”. Nunca soñé que este día llegaría, así que todo lo que pude decir fue “Gracias”.

En 2004, fui invitado a participar en la Ceremonia Conmemorativa del 50 Aniversario de la Colonia Okinawa. Asistí con mi esposa y mi hijo mayor que había nacido en Bolivia.

El lugar de la ceremonia fue donde hacía como 35 años yo había volado en círculos en una avioneta Cessna y desde el cielo, hacia donde todos en la colonia miraban, deje caer los sacos de yute rellenos con arena para hacer peso y en los que había escrito información sobre la situación de la crecida de las aguas de la parte superior del Río Grande.

Sin embargo, ahora, el mismo avión Cessna volaba en círculos sobre el lugar una y otra vez, mostrando un letrero que decía: “Felicitaciones por el 50 aniversario del asentamiento de Okinawa”.

No pude evitar sentir un torrente de emociones y decir: “Bien hecho, el esfuerzo entre todos ha conseguido avanzar hasta aquí”.

Desde el asentamiento la “Tormenta de la desgracia” que tanto había azotado la colonia se había detenido, y por el contrario, un “Viento de suerte”, un “Viento de bendición” cubrieron la Colonia Okinawa.

Sin embargo, la confusión causada por la Colonia Okinawa y la reconstrucción de CAICO por el fracaso del cultivo del algodón debió ser inimaginable.

Es fácil imaginar que la posición de JICA como acreedor que se hizo cargo del préstamo para el negocio del algodón que había señalado su predecesor, la Agencia Emigración en el Extranjero, también era difícil. En medio de todo esto, había dos funcionarios del sistema de asignación del trabajo enviados a CAICO que paciente y devotamente allanaron el camino para la reconstrucción.

Uno es el Sr. Naomasa Osawa de JICA y el otro es el Sr. Shinjun Tamaki de la Federación Económica de Okinawa.

Se puede decir que la Colonia Okinawa y CAICO habían sido bendecidas con personas idóneas y capaces. Además de ello, finalmente tuvieron vientos que soplaban en dirección favorable a ellos.

La primera razón del éxito de la reconstrucción fue el pago anticipado de las deudas de CAICO por parte de JICA y mantener la confianza de las instituciones financieras locales.

Sin esto, la actual Colonia Okinawa no se habría desarrollado.

La segunda razón fue la "hiperinflación" en Bolivia.

Tengo un billete que dice 10 millones de pesos.

Un amigo boliviano me entregó esto muy fácilmente como recuerdo, pero creo que tenía el valor de un billete de 1000 yenes.

Se puede imaginar que tan grande fue la disminución del valor y el descenso de la paridad monetaria en Bolivia.

Billete boliviano de 10 millones de pesos (1985 foto tomada por el autor)

El valor monetario de un dólar era:

- Agosto 1984: 5,000 pesos
- Noviembre 1984: 9,000 pesos
- Septiembre 1985: 1,080,000 pesos

Esto es la inflación.

No se pagaba con billetes de uno en uno, sino con un fajo de billetes atados con papel que luego eran apilados en bloques del tamaño de un ladrillo y amarrados con una cuerda.

Bolivia es un país de frecuentes revoluciones, y era común que los bancos cerraran debido a la ley marcial o huelgas de personal.

La devaluación de la moneda también era frecuente, pero cuando los japoneses tenían ingresos en efectivo inmediatamente los cambiaban por dólares en el mercado negro y los solucionaban guardando los billetes de dólares en el cajón de un mueble. A pesar de que se le llamaba mercado negro, había muchos cambistas parados en la plaza haciéndolo públicamente.

Cuando dirigía la empresa conjunta, pensando en que sería peligroso que robaran en mi casa, puse billetes de dólar en un frasco y después acordamos junto a mi esposa cuál era el mejor lugar para guardarlo, lo enterramos en el césped del jardín.

De la experiencia de ver los malos caminos de la zona de emigración cuando era funcionario de la Agencia Emigración en el Exterior, pensé que, si las materias primas como troncos y tablones no llegaban a la planta de procesamiento de madera, no podría mantener a los 130 empleados de mi empresa. Pedí dinero prestado al Bank of America a una tasa de interés anual del 23 % y se concertó la compra de troncos. Al año siguiente, el precio del material se había más que duplicado, por lo que la alta tasa de interés no parecía una carga. Como resultado, pudimos generar ganancias en un solo año después de tres años de nuestra fundación.

Si adquiríamos una deuda en moneda local equivalente a cincuenta o sesenta mil dólares, dejando unos quinientos o seiscientos dólares guardados en el banco durante 3 o 4 meses, y luego los cambiamos en el mercado negro por moneda local, podíamos pagar la deuda; fue una inflación inimaginable.

El ganado vacuno fue de utilidad en la Colonia Okinawa, los precios se dispararon paralelamente con la inflación y con la venta de unas cinco o seis reses pudimos pagar cincuenta o sesenta mil dólares de deuda en moneda local que habíamos contraído en el pasado.

Si bien universalmente se sabe que devaluar la moneda es una cuestión de secreto del banco central, en Bolivia se filtra la información dos o tres días antes, entonces también era posible ingresar la moneda local el día anterior a la fecha de devaluación y pagar al tipo de cambio anterior a la devaluación.

Naturalmente, no solo los bancos sino también JICA, que se hizo cargo de las deudas de la Agencia Emigración en el Extranjero, incurrió en una gran cantidad de pérdidas cambiarias. Para los japoneses que habían cambiado efectivo por billetes de dólar y realizado sus actividades económicas sobre la base del dólar, era como si tuvieran una "varita mágica".

La tercera razón del éxito de la reconstrucción fue el fenómeno migratorio de jóvenes inmigrantes nikkei a Japón.

Ante la escasez de mano de obra durante el período de crecimiento económico en Japón y la situación en Bolivia donde no había oportunidades de trabajo, la esperanza de los jóvenes de ascendencia japonesa que buscaban trabajo en Japón fue la solución.

Este trabajo migrante no solo brindó a los jóvenes la oportunidad de aprender sobre Japón, sino que también les permitió llevar una gran cantidad de dinero en efectivo y usarlo para pagar deudas, expandir la agricultura y financiar la independencia familiar.

Incluso si los ingresos en Japón no eran altos, si el yen ahorrado se cambiaba a dólares y se llevaba a la hiperinflacionaria boliviana, el valor se multiplicaba.

La cuarta razón fue el éxito del cultivo de soja.

La gran tierra cultivable mecanizada que quedó como legado del cultivo del algodón y el conocimiento de la agricultura a gran escala con maquinaria agrícola, hicieron posible pasar de inmediato al cultivo de la soja, antes que otros.

En un momento, fue un área de producción de soja que representaba el 40% de la producción

Fábrica de aceite de soja de CAICO (2018)

nacional de Bolivia.

En 1987, con un subsidio de 40 millones de yenes de la prefectura de Okinawa e inversión de la Cooperativa Agrícola Colonia Okinawa (CAICO), se construyó una planta de aceite y alimentos en la Colonia No. 1 y se inició la producción de aceite de soja comestible. Además, la cáscara se utilizaba para comercializar alimento seco para ganado, lo que incrementó el margen de beneficio del cultivo de soja.

Además, el trigo tropical también obtuvo buenos resultados por lo que recibieron el reconocimiento como "Capital del Trigo" por parte del gobierno boliviano, se transformó en una colonia de gran apogeo.

Para aquellos que decidieron que este era su lugar para morir, que nunca perdieron la esperanza y aguantaron viviendo situaciones muy difíciles, los días en que la luz de la esperanza los ilumina finalmente había llegado.

La extensión del área de inmigración de Okinawa es de 46,877 hectáreas, se estima que posee más de 20,000 hectáreas de terreno fuera del área de inmigración, viene a ser más del doble del tamaño de la isla Ishigaki, y el área total es aproximadamente de 70,000 hectáreas.

Sembradíos de trigo de la Colonia Okinawa (Foto tomada por el autor en 2018)

Se dice que el área de tierra cultivada (incluidos los pastos) en la prefectura de Okinawa es de 36,500 hectáreas (a partir de 2021), y que los okinawenses poseen en Bolivia el doble de tierra cultivable en comparación a la de su prefectura natal.

Por otro lado, debido que la tierra de los que se mudaron después de haber sufrido daños por sequías, inundaciones, etc.; fueron dejados encargados o adquiridas por las personas que se quedaron, el área de terreno por familia se ha vuelto enorme. Incluso si se divide normalmente serán unas 300 hectáreas por persona, en cuanto a las unidades económicas, dado que hay muchos casos en que dos familias viven en el mismo hogar, los padres y el hijo y su familia, y se dedican a la agricultura, la unidad económica agrícola por hogar se estima en alrededor de 600 hectáreas, que viene a ser el doble.

Según el "Resumen de la agricultura en la Prefectura de Okinawa" de 2014 del Ministerio de Agricultura, Silvicultura y Pesca, dado que hay alrededor de 20,000 hogares agrícolas en la prefectura de Okinawa, el área cultivada por hogar en la prefectura de Okinawa es de 1,8 hectáreas; comparando, en Colonia Okinawa se estima que es de 160 a 320 veces dicha cifra.

En Okinawa, si se compara el área de cultivo de la caña de azúcar, que es el cultivo mayormente número uno:

•Área sembrada de caña de azúcar en el año fiscal 2014 en toda la prefectura de Okinawa: 12,700 hectáreas

•Área de siembra de soja Colonia Okinawa en 2015: 28,804 hectáreas,

•Área sembrada de trigo en el año 2015 en Colonia Okinawa: 15,015 hectáreas

Solo la superficie cultivada de soja y trigo es 3,5 veces mayor que los campos de caña de azúcar de Okinawa Japon.

Además, se estima que el área de cultivo de arroz, maíz, caña de azúcar, girasol, etc., en la Colonia Okinawa es semejante al área de cultivo de caña de azúcar de la prefectura de Okinawa. Además, la Colonia Okinawa tiene varias fincas en las afueras, y se dice que el número de cabezas de ganado supera las 20,000 cabezas, aunque se desconoce el número exacto.

Para el 2018, CAICO tiene un límite de préstamo de 300,000 dólares por miembro, y el presupuesto total de préstamo de CAICO es de 10 millones de dólares.

Esto se debe a que el monto total del préstamo cuando comenzó el cultivo del algodón de la Agencia Emigración en el Extranjero a San Juan y Okinawa fue de 100,000 dólares, incluidos préstamos a CAICO y préstamos personales a más de 300 hogares. La diferencia es demasiado grande para comparar, es una expansión y desarrollo milagrosos de la escala de gestión agricultura y de la colonia. Atrás quedaron los días en que cada agricultor sufría por 20,000 a 30,000 dólares en deuda.

En el centro del asentamiento había muchas casas que parecían mansiones de árabes ricos.

110 aniversario de la inmigración de okinawenses a Bolivia

En 2018 se realizó una ceremonia para conmemorar los 110 años de la llegada del Primer Okinawense a Bolivia. Al asistir a la ceremonia, me conmovió profundamente el que "los inmigrantes de antes de la guerra y los inmigrantes de la posguerra pudieron convertirse en una sola comunidad".

La ceremonia estuvo encabezada por Toru Higa, Presidente de la Asociación Okinawense de Bolivia, miembros del Comité impulsor del evento, Etsuko Inoue, secretaria general, entre otros. Fue una ceremonia espléndida donde pudimos sentir en todas partes la determinación de honrar los espíritus de nuestros antecesores, respetar a sus descendientes, continuar con su voluntad y avanzar hacia un nuevo desarrollo. Me sobrecogió la solidaridad y el entusiasmo de la colonia, que organizó la gran ceremonia con la asistencia de unos 1,200 invitados y el gran almuerzo con todos sentados en perfecto orden.

Estoy convencido de que, la solidaridad y el dinamismo que se cultiva a través de estos eventos y se transmiten a las generaciones más jóvenes, así como la sucesión de la cultura tradicional de Ryukyu a través de atracciones, elevarán la identidad de las personas descendientes de Okinawa y se convertirán en una fuente de gran poder. El Sr. Yoei Arakaki y otros inmigrantes antes de la guerra establecieron después de la guerra "Asociación Pro Ayuda a Okinawa" (para apoyar y aliviar daños sufridos por sus coterráneos durante la Guerra de Okinawa), recolectaron donaciones y enviaron suministros de socorro a su país de origen, Okinawa, que había sido reducido a cenizas. Además, como una actividad de ayuda más activa, se concibió la "Fundacion de Comunidad Okinawa en Bolivia" (Proyecto de recibir a Inmigrantes Okinawenses a Bolivia) en Bolivia para dar esperanzas a los jóvenes, lo que fue el comienzo de la migración planificada a Bolivia después de la guerra.

Los inmigrantes de antes de la guerra se sentían culpables de que sus bien intencionados resultados hubieran llevado a sus compatriotas a la "tierra de la muerte llamada tierra de cultivo de Uruma o Colonia Uruma". Por otro lado, es innegable que para los inmigrantes después de la guerra que llegaron con esperanzas, el resultado del "error de selección del sitio de asentamiento" que generó una situación desesperante, desató la ira contra los inmigrantes de antes de la guerra.

Esta relación distanciada se debe en parte a que la sociedad de la colonia estaba compuesta por Issei (primera generación) que no entendían español, y los descendientes de inmigrantes de antes de la guerra, que principalmente eran de Segunda y Tercera generación que no entendían japonés; durante mucho tiempo, la brecha no se pudo cerrar. Sin embargo, los Nisei (segunda generación), que tenían nacionalidad boliviana y hablaban español con fluidez, se convirtieron en el núcleo de la sociedad de la colonia de posguerra y el intercambio entre las dos partes se dio en

En la "Ceremonia del 110 Aniversario de la llegada del Primer Okinawense a Bolivia", el autor recibiendo el certificado como Socio Honorario de la Asociación Okinawense de Bolivia

En la casa de los esposos Nema a donde el autor fue invitado (2018)

forma natural.

El desarrollo de la agricultura en la Colonia Okinawa y el extraordinario desarrollo de la ciudad de Santa Cruz provocado por la extracción de gas natural, generaron una burbuja inmobiliaria con el aumento vertiginoso de las propiedades suburbanas de inmigrantes de antes de la guerra. La estabilidad económica en ambos lados también sirvió como impulso para la reconciliación.

Y en la "Ceremonia del 110 Aniversario de la llegada del Primer Okinawense a Bolivia", se hizo entrega de reconocimientos a una Señora de 100 años que había vivido casi los mismos años de historia que la colonia, al Sr. Kancho Gushi y Kame Akamine quienes después de la guerra habían llevado al nuevo mundo a los jóvenes de la tierra arrasada de Okinawa por la guerra, y a los familiares del hermano menor del Sr. Akamine que fue herido con una lanza de una comunidad indígena, Barbara cuando preparaba la recepción de sus coterráneos inmigrantes de la post guerra. Fue extremadamente significativo que se les entregara un reconocimiento en señal de agradecimiento, elogiando los logros de sus antepasados fallecidos.

Regreso de las personas que se separaron

"El resentimiento se disolvió y los compatriotas se unieron", lo que supera esta expresión abstracta son los lazos de sangre.

El Sr. Yoei Arakaki, quien escribió en su diario sobre el cruce de los Andes al trasladarse de Perú a Bolivia, envió a sus tres hijos a estudiar a Japón. Ellos fueron llamados por el ejército japonés y enviados a la guerra donde murieron. Cuando el Sr. Yoei me invitó a tomar el té, fue su única hija quien me atendió. La hija tenía dos hijos, eran los nietos de Yoei.

Su nieta, Emilia, se casó con el abogado Genshin Nema. El padre de Genshin era un ex maestro de la Escuela Secundaria Agrícola y Forestal de Miyakojima, que se había establecido en la Primera Colonia Uruma. (Lugar inicial donde llegaron los inmigrantes)

En 2018, el Dr. Genshin recibió el premio Kyokujitsusho (Condecoración Orden del Sol Naciente Rayos de Oro) entregado por el Emperador de Japón, por su contribución al desarrollo de la comunidad nikkei como

De izquierda a derecha Javier Guibu (nieto de Yoei Arakaki), el Sr. Tetsuo Kochi y el autor durante la "Ceremonia del 110 Aniversario de la llegada del Primer Okinawense a Bolivia" (2018)

Frente a la gran máquina de desinfección el Sr. Kochi Makoto y el autor.

presidente de la Federación de Asociaciones Nikkei en Bolivia durante muchos años.

El otro nieto de Yoei es Javier Gibu. Dirige una agencia de viajes en Santa Cruz.

El Sr. Javier está casado con la hija de un maestro que vivía en Kadenacho que decidió mudarse a Bolivia y encontrar una manera de sobrevivir porque el 80% del pueblo fue requisado por el ejército de los EE. UU., ella es Etsuko, la segunda hija de Hiroshi Kochi, quien también llego en el primer grupo de inmigrantes post guerra y se instaló en Uruma.

Los hijos de inmigrantes que se asentaron en las trágicas tierras de la Colonia de Uruma, provocó una división entre los inmigrantes de antes y después de la guerra, se reflejaba en la unión de los nietos del Sr. Yoei Arakaki.

"Aunque tus huesos se pudran en esta nieve, tu espíritu emprendedor permanecerá perpetuamente inspirando a los hermanos que vendrán después, y ser desarrollados por un compatriota los tesoros de tu anhelado bosque, no será difícil". Me conmueve profundamente cuando pienso en cómo se sentía el Sr. Yoei cuando mira hacia abajo desde el cielo, mientras escribía en su diario sobre la travesía en los Andes nevados.

Además, el nieto de Hiroshi Kochi se casó con Sayaka, la hija mayor de Etsuko Inoue, secretaria general de la Asociación Okinawense de Bolivia, hija mayor de Susumu Aniya del primer grupo de emigrantes cuya casa ubicada debajo del castillo de Shuri fue incendiada en la guerra convirtiéndose en un vertedero de restos de tanques.

Anteriormente cuando visité Bolivia, la Sra. Sayaka quien acababa de casarse, vino a recogerme y me dijo que me invitaría a almorzar en casa de sus suegros. En realidad, cuando Sayaka estudiaba ciencia de los Alimentos en la Universidad de Agricultura de Tokio como parte de la capacitación de JICA, ella y su tío el Sr. Tameyasu Nagamine, ex presidente de la WUB, me visitaron en mi oficina en Tokio y cenaron conmigo, así que somos viejos conocidos.

Recuerdo que la flor de los tajibos amarillos y morados estaban en plena floración a lo largo del pasaje que conducía desde la carretera principal hasta la entrada de la residencia del Sr. Kochi.

Gran cosechadora para el cultivo de arroz del Sr. Makoto Kochi (tomada en 2018)

* WUB Red de Negocios Okinawenses en el mundo

Después de almorzar, el Sr. Makoto, hijo mayor del Sr. Hiroshi, me dio un recorrido por la granja. La familia de Kochi posee 1,400 hectáreas. De estas, 600 hectáreas se cultiva arroz. Me mostró maquinaria agrícola como cosechadoras, tractores, desbrozadoras, etc., e instalaciones de secado para arroz molido.

Me sentí abrumado por el enorme tamaño de las máquinas y equipos.

La escala de gestión de la Colonia Okinawa estaba más allá de mi imaginación. El costo total del equipo del Sr. Kochi se estimó en más de 3 millones de dólares.

"¿Ya no estás luchando con la deuda?" A mi pregunta, Makoto sonrió y asintió. "No estaría donde estoy hoy sin el cultivo del algodón. Mi padre a menudo me hablaba del Sr. Watanabe" me dijo.

Casas de los Inmigrantes en colonia Okinawa, se pasó de techos de tablones y hojas de palma a techos de tejas de ladrillo. (Foto tomada por el autor en 1973)

Mansión de inmigrantes en colonia Okinawa (Tomada por el autor en agosto del 2018)

Parte 7

Promoción de intercambios

Festival Mundial Uchinanchu

El Festival Mundial Uchinanchu 2016 contó con más de 60 participantes de Bolivia. También estuvo presente un gran número de mujeres.

Cuando llegué por primera vez a Bolivia, ya habían pasado 13 años desde que la Colonia Okinawa se instaló en su ubicación actual.

Sin embargo, durante ese tiempo había muchas mujeres que nunca habían estado en la ciudad de Santa Cruz.

Con el fin de comprender la gestión y las condiciones de vida de todos los agricultores en la "Encuesta anual económica de agricultores" que se realizaba regularmente en la oficina, todos los miembros del personal dividimos nuestra tarea y salimos para visitar cada hogar y realizar entrevistas durante dos o tres horas.

En esas ocasiones siempre les preguntaba a las señoras: "¿Ha estado alguna vez en Santa Cruz?"

La mayoría de las amas de casa respondieron: "Nunca".

Escuché de un médico en el Hospital Central Colonia Okinawa: "El estado nutricional de las amas de casa es terrible. Tengo miedo practicarles una cirugía porque no tienen la fuerza física necesaria para soportarlo".

Fueron las mujeres las que más sufrieron.

Fui invitado por la prefectura de Okinawa a participar en el Festival Mundial Uchinanchu, que se realiza una vez cada cinco años, participe en tres festivales consecutivos.

Sobre todo, me alegraba ver las caras sonrientes de las mujeres que decían: "Nunca había salido del área de inmigración" en los tiempos duros del inicio de la colonia.

Los rostros de las mujeres se notaba la sensación de felicidad de conocer otro mundo.

Por cierto, el Festival Uchinanchu es un evento que no se puede encontrar en ningún otro lado del mundo. Las personas que han emigrado desde la prefectura de Okinawa a países de todo el mundo y sus descendientes regresan a Okinawa para este festival que se celebra una vez cada cinco años.

Las fiestas de bienvenida para cada país y cada municipio se llevan a cabo en todas partes, y el festival que dura una semana alcanza su clímax en la gran ceremonia en el Estadio Celular de Okinawa en Naha.

Lo más destacado del festival es el desfile de víspera en la avenida Kokusai.

Los lados de la calle están repletos de gente, pero las personas que permanecen a lo largo del camino no son meros espectadores, incluso siendo extraños, asisten para recibir a los visitantes participantes del extranjero.

Antes del desfile, de izquierda a derecha, Sr. Tsugio Higa, Oficial Mayor de la Alcaldía de la Colonia Okinawa, el autor, el Sr. Shinjun Tamaki quien se esforzó y trabajo en la recuperación de CAICO, Sra. Etsuko Guibu segunda hija de Hiroshi Kochi originario de Kadena y su hija. Durante la cuarta edición del festival.

A la izquierda, el Sr. Kazuo Miyagi, presidente de la Asociación Boliviano Japonesa de Okinawa, y el Sr. Tsugio Higa, Oficial Mayor de la Alcaldía de la Colonia Okinawa, desfilan portando un banner de Bolivia (Foto tomada por el autor en 2006)

Desde los lados de las veredas, les dicen a quienes desfilan, "okaeri nasai" (Bienvenidos a casa), y las personas que desfilan en algunos casos vistiendo trajes típicos de cada país, responden con una gran sonrisa, "Tadaima" (Regresé a casa).

Este es "El festival mundial de bienvenida" con la participación de los ciudadanos de la prefectura de Okinawa.

Cuando me subía a un taxi con la etiqueta con el nombre de invitado en el pecho, muchos conductores apagaban el taxímetro 500 metros antes del destino y me decían: "Que tengas una buena estadía y diviértete".

Incluso yo, que nací fuera de la prefectura, me sentía orgulloso de mi conexión con la prefectura de Okinawa.

Es más, me pregunto cuántas personas han venido desde el exterior para cumplir con su ansiado regreso temporal a Japón. Desde el fondo de mi corazón, sentí que estaba feliz de ser Uchinanchu.

Estaba convencido de que después del festival todos los que venían del extranjero volverían al país a donde habían emigrado llenos de orgullo, alegría en sus corazones y nuevas energías.

Personas que salieron de Bolivia

Si bien hay personas que han logrado su prosperidad actual gracias a la milagrosa suerte, el 90% de ellas han olvidado que tuvieron que abandonar sus sueños originales y la colonia porque renunciaron a la recuperación y trabajo para el desarrollo en la Colonia Okinawa.

Rápidamente conté los destinos de las 2,330 personas que llegaron a la Colonia Okinawa pero que lastimosamente tuvieron que cambiar su destino de vida a otros países. De la lista de inmigrantes planificados en el folleto conmemorativo del 50 aniversario puedo apreciar lo siguiente:

Perdónenme por el margen de error de 2 o 3 personas:

① Brasil 983 personas
② Japón 784 personas
③ Argentina 381 personas
④ Bolivia, incluyendo Santa Cruz 115 personas
⑤ Perú 43 personas
⑥ Estados Unidos 22 personas
⑦ Chile y Canadá 5 o 6 personas.

Además, algunas familias que se habían mudado a Brasil o Argentina tenían a sus hijos separados de la familia y reubicados por separado en otros países como los Estados Unidos o Japón.

Incluso después de regresar a Japón, muchos regresaron a la Prefectura natal de Okinawa vía Tokio u Osaka.

A partir de la cantidad de personas de ascendencia okinawense que se mudaron por todo el mundo, me hizo sentir que el sentido geográfico relacionado con el área de vida de las personas de ascendencia okinawense era muy amplio a escala global.

En otras palabras, las personas de ascendencia okinawense son cosmopolitas.

Independientemente que si eres consciente de ello o no, dondequiera que vayas en el mundo, no piensas en las personas como completos extraños. También creo que podemos mantenernos en contacto, aunque vayamos a diferentes destinos.

El hecho de que puedas predecir aproximadamente el pueblo o aldea en el que naciste mediante tu apellido, o nacieron tus parientes y ancestros, también puede ser un factor determinante.

Esto se debe a que el grado de pena al dejar el lugar de migración es diferente al de las personas originarias de otras prefecturas.

También es diferente el optimismo que sienten las personas con el dicho: “Nankurunaisa” (Lo que será, será).

Lo vi como una red de sangre y lazos regionales entre personas de ascendencia okinawense.

Esto se debe a que hay información que viene del lugar a donde te vas a trasladar, y además hay una mano de apoyo que te dice “te gustaría venir aquí” en lugar de moverte por ti mismo.

E incluso con ese apoyo, existe un fuerte deseo de recuperarte y volver a tu rutina, al curso de tu vida normal.

Mencioné anteriormente sobre una familia en la Colonia 3 que no tenía cosecha de arroz de sus 10 hectáreas de tierra cultivada, cuyo padre estaba cazando y murió cuando la escopeta de caza que llevaba se disparó cuando se cayó de un árbol.

Esa familia regresó a Okinawa bajo la Ley de Ayuda Nacional del gobierno japonés, pero estaba preocupado por lo que les sucedería después, así que cuando regresé a Japón en 1974, inmediatamente fui a visitarlos a su pueblo natal.

Visité a la familia con la guía del personal de la oficina del pueblo. Todos ellos estaban contentos y saludables.

El pueblo le ofreció un trabajo al hijo mayor para trabajar en la sección de construcción de la oficina del gobierno, mientras que la hija mayor consiguió un trabajo en un hotel justo antes de la Exposición Oceánica Internacional de Okinawa de 1975. 6 o 7 niños pequeños estaban jugando comunicándose en español y felices porque no necesitaban hacer amigos afuera.

La hija mayor dijo alegremente: “En este momento seguimos recibiendo asistencia pública, pero mi segunda hermana pronto podrá comenzar a trabajar, así que quiero poder dejar de recibir asistencia pública lo antes posible. Ese es mi objetivo número uno en este momento.

Con el apoyo del pueblo, familiares y vecinos, y al ver a esa niña débil transformada en una mujer fuerte, pude estar seguro de que "estarían bien".

Recientemente, me enviaron una foto de una familia con rostros felices.

Era una foto de la celebración del cumpleaños número 103 de Yoshiko, la esposa de Tokuzen Touma, quien era originario de la isla de Miyako y que fue el primer presidente de la Asociación Boliviana Japonesa de Okinawa.

Nacida en 1919, Yoshiko escapó de Miyakojima a Taiwán durante la Batalla de Okinawa.

Se dice que cruzaron de isla en isla envueltos en la oscuridad de la noche, me contó anteriormente que durante el camino fue ametrallada por aviones de combate estadounidense mientras estaba en la playa de alguna isla. Después de la guerra, regresó a la isla de Miyako y se casó con Tokuzen Touma, un empleado de la oficina sucursal de Miyako del gobierno de Ryukyu.

Dio a luz a niñas en 1946, 1950 y 1952 mientras dirigía una boutique en Hirarashi usando sus habilidades de costura.

Tokuzen decidió mudarse a Bolivia por invitación de su colega Kinsaburo Tomori sin consultar a Yoshiko.

Luego, el 18 de julio de 1954, partió del puerto de Naha como segundo inmigrante en el barco holandés Tegelberg y llegó a Bolivia.

En el primer asentamiento, casi la mitad de los 405 colonos se enfermaron en medio año y 15 personas murieron a causa de una epidemia desconocida llamada enfermedad de Uruma. Escribí sobre las experiencias de Yoshiko en ese momento en la sección sobre "la enfermedad de Uruma" en este libro.

Luego, en busca de un lugar seguro, el grupo cambió dos y tres veces la tierra de asentamiento, y llegó a la Colonia Okinawa 1, dos años después.

Incluso después de establecerse, la reputación y la experiencia de Tokuzen como funcionario del gobierno lo llevaron a trabajar siempre

Celebración del cumpleaños número 103 de Yoshiko Touma (2021)

en el puesto de “Jefe de la aldea de Okinawa”, confiando todas las tareas agrícolas y domésticas a Yoshiko. Se dice que ella llevaba a Tokuzen a la oficina de la administración local todas las mañanas y tardes en motocicleta, a los trabajadores a limpiar la tierra y trabajó en las tareas del hogar y cuidando de los niños sin descanso. Mientras tanto, dio a luz a tres niñas más.

Después de que Tokuzen falleciera en 1984 a la edad de 65 años, la familia de mujeres regresó a Japón y comenzó una nueva vida en la prefectura de Kanagawa, donde continúan hasta el día de hoy.

Creo que es justo decir que la vida estuvo llena de altibajos, pero las sonrisas tranquilas y felices de Yoshiko de 103 años y de sus hijas no muestran rastro de tales dificultades.

De los 3,229 inmigrantes previstos desde el primero hasta el decimonoveno grupo de inmigrantes post guerra que cruzaron el mar con esperanza, el 90,2% abandonó la zona de inmigración porque sus sueños se rompieron. Existe la trágica verdad de la historia de que las personas se dispersaron por todo el mundo a países vecinos, Estados Unidos y Japón, y tuvieron que comenzar sus vidas de nuevo.

Colonia Okinawa, que es un grupo de alrededor del 10% de personas exitosas, ha enviado mensajes, pero no pueden escuchar el llamado y los sentimientos del 90% de personas que se han dispersado.

Es por eso que me sentí aliviado cuando vi a la familia del Sr. Toma viviendo una vida saludable en familia, y como una persona más que estuvo involucrado en la formación de la Colonia Okinawa, me siento realmente feliz. En realidad, no es solo la familia del Sr. Toma, sino también muchas otras personas que han vivido sus vidas vigorosamente desde entonces.

Se puede decir que mientras uno vive, no puede desanimarse, aceptar la profunda frustración de "oír y ver es una gran diferencia", y me pregunto: qué sintieron ellos en su corazón cuando decidieron asumir un nuevo horizonte para sus vidas.

Hay una historia de personas que abandonaron la agricultura en la Colonia Okinawa, tal vez abandonaron la agricultura pero no renunciaron a la vida.

He estado en estrecho contacto con la gente de Okinawa durante 50 años. Es inconmensurable cuánto me ha conmovido la forma en que miran hacia adelante sin perder su brillo y sin volverse servil incluso ante una inimaginable situación.

La comunidad de personas que han regresado a Japón también es densa. Lo divertido es que los jóvenes que han regresado de la Colonia San Juan, otra zona de inmigración japonesa en Bolivia, se están apoyando en esa densidad para acercarse a la comunidad Uchinanchu en la Prefectura de Kanagawa. Viven felices intercambiando información y animándose unos a otros con el espíritu del "Ichariba Chodee".

Pero, ¿de dónde viene esta "dureza brillante y flexible"? También es un misterio eterno para mí.

Ahora, quiero conocer el misterio, e invito a las personas que salieron de los asentamientos bolivianos a escribir sobre sus experiencias. Esto se debe a que estoy convencido de que seguramente dará coraje y señales de orientación a aquellos que viven frente a las dificultades en este mundo caótico.

Hacia el futuro

Se dice que las personas que han emigrado a Brasil, Argentina y otros países están unidas por fuertes lazos como personas que han corrido la misma suerte, ayudándose y apoyando la prosperidad de los demás.

Me gustaría estar en contacto con estas personas.

He visto y oído muchas veces de comunidades en Bolivia donde la guerra cortó el contacto con Japón y no dejó rastro de la comunidad japonesa.

Las comunidades nikkei en el extranjero pueden mantener su identidad a través de intercambios personales y culturales con su prefectura de origen.

El autor invitando a las personas que salieron de los asentamientos bolivianos a escribir sobre sus experiencias. En el Hotel Royal Orion en la ciudad de Naha (Foto tomada por la Srta. Mariko Nakamura para un reportaje en el periódico Ryukyu Shimpo el 9 de diciembre del 2021)

Cuando se pierde esa interacción, es lo mismo que un feto al que se le ha cortado el "cordón umbilical".

En la "Ceremonia Conmemorativa del 110° Aniversario de la llegada del Primer Okinawense a Bolivia" mencionada anteriormente, se ofrecieron en el monumento conmemorativo una fila de flores frescas con los nombres de cada municipio de la prefectura de Okinawa. El amplio lugar estaba decorado con las banderas de cada municipio que rodeaba el recinto.

Esto inmensurablemente dio orgullo y coraje a los inmigrantes.

Creo que es porque la gente de Okinawa entiende que "el intercambio es vida".

Para aquellos que regresaron a Japón, el exgobernador Keiichi Inamine y el presidente de Orion Beer, Yoshio Katekaru, actuaron como asesores. Están unidos bajo la Asociación Boliviana de Okinawa (el presidente es el Sr.Hitoshi Isa) y están haciendo lo mejor que pueden.

Un proyecto de la Asociación es dar la oportunidad a los niños que nacieron en la Colonia Okinawa pero que regresaron a Japón a una edad temprana y a los jóvenes que viven en Okinawa, enviándolos a Bolivia para que experimenten la vida en la Colonia durante una estadía en una casa de familia en la Colonia Okinawa.

Como parte de la recaudación de fondos, me hice cargo del torneo de golf benéfico que inicié en 2004. Este torneo de golf está copatrocinado por la mayoría de las empresas famosas de la prefectura, incluida Orion Beer.

Estoy muy agradecido por los cálidos sentimientos de la gente de Okinawa hacia los inmigrantes extranjeros.

Además, con motivo del 6° Festival Mundial Uchinanchu, 17 estudiantes de secundaria de Bolivia fueron invitados a participar en un sistema de intercambio con la colaboración de 11 familias de la prefectura, asimismo, ha comenzado un maravilloso intento para que la gente experimente y conozca la vida en Japón.

Aunque a primera vista pueda parecer que no tiene mucha importancia, contiene temas sumamente provechosos para la educación de los niños de ambos países.

Inspirará tanto a los jóvenes de Okinawa, que estén sintiendo una sensación de estancamiento en la sociedad actual, como a los jóvenes de la Colonia Okinawa que corren el riesgo de perder el impulso de enriquecerse y mejorar; es una tarea urgente desarrollar "jóvenes que liderarán el futuro de Okinawa" con entusiasmo por la vida y con un espíritu para hacer frente a situaciones difíciles.

Se dice que en el remoto pasado, los antiguos habitantes de Ryukyu recorría libremente en pequeñas embarcaciones el Mar de la China Oriental.

Los botes pequeños eran el principal medio de sustento de vida y de transporte, y el piso de madera podía ser el lugar donde morían. En aquellos días en que no se desarrolló el sistema de pronosticar el tiempo, hubo demasiados accidentes imprevistos en el mar.

El ADN de las personas que vivieron situaciones tan difíciles, debe estar en la mayoría de las personas de la prefectura aunque no se den cuenta.

Al igual que Yoei Arakaki y Tokusho Miyagi, hay muchas personas que no son ascetas ni filósofos, pero tienen algo parecido a una iluminación en su visión de la vida y la muerte.

Con estas personas tranquilas pero fuertes que lo han soportado todo

Visita al gobernador Inamine para solicitar ayuda para la Colonia Okinawa. De izquierda a derecha: Uehara Seiki, primer jefe de la Corporación Pública de emigración de Ryukyu en Bolivia, Sr. Tamaki presidente de la Asociación Boliviana en Okinawa, el autor, el gobernador, el Sr. Katekaru presidente de Orion Beer, el Sr. Yoshida médico Okinawense enviado a Bolivia, el Sr. Higashi presidente de la Agencia Turística Okinawa (2004)

con serenidad, tuve una relación profunda y cercana, y tengo la sensación de que si me pusieran en una situación extrema diría: "La gente de Okinawa es la gente más fuerte del mundo".

Solo por esa razón, mis expectativas para con la gente de Okinawa son mucho más fuertes que las demás.

Esto se debe a que creo que, en esta era globalizada, los residentes de la prefectura de Okinawa tienen el mayor potencial para extender sus alas alrededor del mundo.

Utilizando los diversos intercambios entre la prefectura de Okinawa y países extranjeros como punto de apoyo, existe una gran posibilidad de que los jóvenes tanto del extranjero como originarios de la prefectura, se conviertan en personas de mente fuerte con un espíritu emprendedor que puedan desempeñar un papel activo en cualquier parte del mundo.

OIST (Universidad de Graduados del Instituto de Ciencia y Tecnología de Okinawa) está excepcionalmente mostrando este camino.

En el campo de la gestión empresarial y el bienestar social, se recluta recursos humanos de todo el mundo y estudian conjuntamente con jóvenes en la prefectura de Okinawa, gracias a la cooperación de WUB (World Uchinanchu Business Network) y otras entidades; creo que, si todos podemos brindarles apoyo en términos de reclutamiento y vida diaria, sus sueños se expandirán sin fin.

Tengo la esperanza de que la prefectura de Okinawa aproveche el tesoro de "Conexión entre países" para educar a sus niños, sin quedar atrapados en políticas educativas uniformes a nivel nacional.

Además, debido a su notable transformación, la Colonia Okinawa ha pasado de ser una "carga de la prefectura de Okinawa" a un "tesoro de la prefectura de Okinawa".

Como en la novela de ciencia ficción "Japón se hunde", si en un futuro se pronostica una emergencia para la isla principal de Okinawa debido a una guerra, un gran terremoto o la caída de un gran meteorito, la prefectura de Okinawa consideraría evacuar a sus niños a la Colonia Okinawa en un vuelo chárter.

Bolivia tiene una comunidad okinawense equivalente a la mitad del área de la isla principal de Okinawa.

Además de asegurar alojamiento y comida, no sería en absoluto un problema continuar con la educación.

Se puede pensar que es demasiado fantástico, pero es real, no hay otra prefectura fuera de Okinawa donde se pueda imaginar algo así.

La prefectura de Okinawa y la prefectura de Santa Cruz, son Prefecturas Hermanas.

Realmente espero se dé un intercambio permanente.

Fin

Centro de la ciudad de Santa Cruz (foto tomada por el autor en 1970)

Centro de la ciudad de Santa Cruz (foto tomada por el autor en 2018)

Presentación del autor

Ide Tsugio
Ex catedrático de la Universidad de Keio
Ex miembro del Comité de Políticas y Ex Consejero de Planificación Económica del Banco de Japón

Sobre mi gran amigo Hideki Watanabe

El autor de este libro y yo compartimos el mismo pueblo natal. (Shinshu Saku, donde se encuentra el río Chikuma y desde cuya parte alta si vemos hacia el sur y hacia el norte están Yatsugatake y Mt. Asama), además fue mi compañero, dos años mayor, durante la escuela primaria, secundaria y durante la preparatoria. Desde muy joven poseía capacidad de liderazgo y era muy respetado por quienes lo rodeaban debido a su participación en torneos locales de sumo, y clubes de deportes de la escuela como lanzador del equipo de béisbol, nadador y deportista.

Somos parte de una generación que vivimos la infancia al finalizar la segunda guerra mundial, inmediatamente después de la derrota, entendiendo que la segunda guerra mundial en la que se vieron involucrados nuestros padres, hermanos y amigos, había sido un evento aterrador que aún se sentía como si hubiera ocurrido ayer; y compartimos aquellos momentos en los que intensamente sentíamos el valor de la paz.

El Sr. Watanabe, después de graduarse de la universidad, había conseguido un trabajo en la Agencia de Emigración en el Extranjero, pero no tenía idea de las actividades desarrolladas en el “Área de Emigración de la Colonia Okinawa en Bolivia”.

Sin embargo, en las actividades descritas en sus memorias “Bolivia registro de una historia paralela. Pioneros en Bolivia”, pude entender claramente que fue una extensión de las actividades del autor que se remontan a su niñez.

Aunque, la gravedad de las dificultades que enfrentaron los pioneros al abrir nuevos caminos en Bolivia, superó con creces mi imaginación.

Antes de la política de alto crecimiento, Japón todavía se percibía como un país superpoblado y los programas de inmigración formaban parte de la política exterior durante algún tiempo después de la guerra. El nombre de "Agencia de Emigración en el Extranjero" me resulta familiar y me gustaría que muchos jóvenes conocieran la historia de lo que hoy es la Agencia de Cooperación Internacional de Japón (JICA).

En la zona montañosa de Shinshu (Prefectura de Nagano), donde no hay mar, a los estudiantes de primaria solían llevarlos al cercano Mar de Japón en excursiones escolares para hacerles sentir la existencia del mar.

Shozan Sakuma, oriundo de Shinshu (Político y erudito japonés) a fines del período Edo, dijo: "Después de veinte años sé que estoy en conexión con una zona (Matsushiro han), después de treinta años en conexión con todo el país. Después de cuarenta años recién soy consciente que estoy en conexión con los cinco continentes".

Este es un breve relato de las emociones de la vida de Shozan cuando dejó el clan Shinshu Matsushiro para ir a Edo y enfrentar la llegada de los "barcos negros" de Perry, Shozan quien fue un impulsor de la apertura del país (un globalista de finales del período Edo), tenía algo brillante que ofrecer.

El autor quien desde la prefectura de Nagano donde no hay mar, anhelaba ir a un país extranjero, al haber conseguido un trabajo en la Agencia de Emigración en el Extranjero y vivir y trabajar en Bolivia, tiene algo en común con el entusiasmo de ese gran hombre quien vivió a finales del período Edo.

El vínculo entre el autor y la gente de la Colonia Okinawa

El autor participó en la fundación y operación de la "Cooperativa Agrícola Integral de la Colonia Okinawa" en Bolivia, pasando por muchos giros y vueltas, superando las dificultades y profundizando los lazos con la gente de la Colonia Okinawa. Su imagen es impresionante.

En 1916, el Sr. Yoei Arakaki en el camino al cruzar la Cordillera de los Andes, escribió en su diario después de ver la tumba de un compatriota, lo siguiente:

"Quisiera que aunque sus huesos se descompongan en esta nieve, sus espíritus emprendedores perduren como un aliento para que los compatriotas puedan desarrollar estos bosques que tienen muchos tesoros".

El nombre del Sr. Yoei Arakaki aparece en los hitos de eventos importantes de este libro.

Mientras escribe este libro con sus propias memorias como si fuera un protagonista oculto, el autor habla del Sr. Yoei Arakaki como la persona más importa para revelar la historia del pueblo de Okinawa en Bolivia.

Creo que es por eso que este libro tiene una fuerte narrativa, aunque no sea ficción.

Este es el resultado de 50 años de interacción que el autor mantiene con la gente de la Colonia hasta el día de hoy, no solo con los personajes de la historia, sino también con sus nietos. Acción que no cualquier persona puede conseguir.

La primera persona en usar la palabra "economía" en Japón fue Shundai Dazai, un erudito de Yomei (Yangmingism) del período Edo nacido en Shinshu. En su libro "Registro económico" (primera mitad del siglo XVIII) escribió: "(A grandes rasgos) la economía es el derecho de gobernar el país y salvar al pueblo". Aquellos que discuten sobre economía deben saber las siguientes cuatro cosas: ("Primero, hay que saber cuál es el momento. Segundo, se debe saber la razón. Tercero, conocer el potencial. Cuarto, se debe conocer los sentimientos de las personas".

Creo que detrás del apoyo de las actividades del autor en el área de inmigración de Okinawa, estaba el respaldo de la filosofía de Shundai de la "Economia Saimin".

Además, como conclusión de su experiencia tras vivir en Bolivia durante 10 años, afirma: "El país debe mejorar sus fortalezas económicas, tecnológicas, científicas y culturales y dedicarse a la diplomacia pacífica", estoy completamente de acuerdo con él. Excluyendo a Putin que pienso no tiene remedio, quisiera transmitir esto al expresidente estadounidense Trump y a muchos otros líderes mundiales que no tienen idea de la "Economía Saimin".

Logros y errores del Japón moderno

Con la Restauración Meiji, Japón fue una de las primeras naciones asiáticas en abrirse al mundo, adoptando la civilización occidental.

Para aprender de Japón que ganó la Guerra Ruso-Japonesa, muchos asiáticos vinieron a Japón a estudiar para volver y modernizar su país. Contrariamente a sus expectativas, Japón después de la Guerra Ruso-Japonesa no entendió el movimiento nacionalista en Asia y avanzó hacia la dominación de Asia.

En 1924, Sun Yat-sen abandonó Japón diciendo: "Depende de los propios japoneses decidir si Japón se convertirá en el perro faldero de los países occidentales o en el pionero del verdadero camino en Asia".

Después de eso, Japón se sumergió en la Invasión de Manchuria, la Guerra Sino-Japonesa y la Segunda Guerra Mundial.

Este libro presenta en detalle cómo la Batalla de Okinawa causó terribles daños a Okinawa, y el ataque a Pearl Harbor que dio inicio a la Segunda Guerra Mundial en la que perdió Japón; también causaron un gran daño a los japoneses que emigraron a América del Sur.

Cuando mi padre visitó los Estados Unidos en 1951, fue interrogado por un estadounidense de origen japonés de segunda generación,

Ichitaro Ide escribió un tanka (poema japonés) que decía: "Me preguntaron honestamente qué me iba a dar mi patria, Japón, y no pude responder".

Una vez más, lamento los errores en la historia japonesa moderna que causaron un gran daño a quienes emigraron a América del Sur, y rindo homenaje a quienes hasta hoy alcanzaron el éxito con su arduo trabajo.

Pensamientos de paz de Okinawa

Mi primera visita a Okinawa fue en 1996, más de 20 años después de que Okinawa fuera devuelta a Japón.

La razón por la que no pude ir allí antes fue porque tenía en mi mente la tragedia de la película "Himeyuri no Tou" que vi cuando era niño, y sentía una especie de duda de visitar Okinawa.

Una cuarta parte de una población de 800.000 personas, murió en la Batalla de Okinawa. Este horror no se puede expresar a través de las palabras.

Recordaré una vez más el telegrama enviado por el comandante Ota de la Marina al viceministro de la Marina tras la derrota en la

Batalla de Okinawa: "El pueblo de Okinawa ha luchado bien. Tenga especial consideración con las futuras generaciones" Según el Tratado de Seguridad entre Japón y Estados Unidos, ¿cómo debemos responder a la situación actual en la que la mayoría de las bases americanas se encuentran en Okinawa?

No debemos olvidar el mensaje del comandante Ota hacia nosotros los japoneses que debe quedar para la posteridad.

Con motivo del 40 aniversario del final de la Batalla de Okinawa se construyó el "Monumento de la Piedra Angular de la Paz", una lápida con los nombres de más de 230,000 personas, incluidas los soldados norteamericanos que murieron en la guerra, grabada en el Monumento a la Paz en la Colina de Mabuni, Parque en la península de Kyan.

Los funcionarios de Okinawa están enviando mensajes de pensamientos no militares y pacíficos al mundo, como lo ejemplifican "Kono Kinenhi" y "Shurei-no-mon". Debemos aprender y difundir esto.

Asimismo, la recuperación de la Colonia Okinawa en Bolivia, incluye acontecimientos que se pueden compartir con todas las personas del mundo más allá de las fronteras tales como "el acto humano de la inmigración".

Quiero dar a conocer ampliamente al mundo la historia de las personas que sobrevivieron a la epidemia, desastre y discriminación.

En particular, a diferencia de las historias generales de migración publicadas, este libro hace un intento histórico de transmitir incluso las emociones de las personas que participaron en él. Debería ser una parte verdaderamente importante de la historia.

Quiero que sea leído en todo el mundo y no solo en Japón.

Por último, quiero mencionar que el Dr. Yusuke Koike, compañero de año superior de la escuela secundaria y preparatoria, que tuvimos en común con el autor, cuidó durante la Batalla de Okinawa a las alumnas de la Escuela Secundaria Femenina Hotoku (cerrada después de la guerra), diciéndoles: "Ustedes no son combatientes, deben permanecer con vida para volver junto a sus padres". Él salvó a 23 alumnas. Este hecho se convirtió en 2013 en una película documental titulada "Fuji Gakutotai" (Kaiensha).

Perfil del Autor

Hideki Watanabe

Nacido en la ciudad de Saku, Prefectura de Nagano en 1941.

Graduado de la Escuela Secundaria Nozawa Kita de la Prefectura de Nagano y de la Facultad de Derecho de la Universidad de Chuo.

Después de trabajar en la sucursal de Santa Cruz de la antigua Agencia de Emigración en el Extranjero en Bolivia, trabajó para la Agencia de Cooperación Internacional de Japón (JICA) y después de ser presidente de una empresa conjunta Japón-Bolivia, se independizó y estableció una empresa de administración de edificios.

Presidente del Grupo de Construcción Yoyogi Nishiwaki. Asesor de la Asociación Japón-Bolivia. Miembro Honorario de la Asociación Okinawense de Bolivia. Presidente del Club de Golf de Beneficencia de Bolivia.

Perfil de las traductoras

Dra. Shizuyo Yoshitomi

Directora del Centro Internacional y Catedrática de la Facultad de Psicología y Bienestar Social de la Universidad de Mujeres de Mukogawa. Directora de Ippan Shadan Houjin Hyogo Laten Comunity

Después de trabajar como secretaria en un consulado sudamericano, tras el Gran Terremoto de Hanshin-Awaji en 1995, participó en el establecimiento de ONG Kobe Relief Network for Foreigners y la radio comunitaria FM YY. Ha venido promoviendo actividades realizando investigaciones sobre la promoción de un entorno multilingüe, la educación de niños con raíces extranjeras y la independencia de organizaciones extranjeras.

Desde el 2011 hasta antes de asumir su cargo actual, trabajó en la Escuela de Graduados de la Universidad de Osaka y en la Universidad de Estudios Extranjeros de Nagoya. Actualmente realizando actividades de investigación en la Colonia Okinawa en Bolivia.

Además, es miembro del Consejo de Visión a Largo Plazo de la Prefectura de Hyogo, Asesora de investigación de derechos humanos de la Asociación de Derechos Humanos de la Prefectura de Hyogo, directora representante de FM YY (hasta marzo de 2016) fundadora y directora durante 24 años de la NPO. Centro Multilingüe FACIL, de la cual actualmente es asesora especial, entre otros. Doctorado de la Universidad de Kyoto (Estudios Humanos y Ambientales)

Roxana Oshiro (Roxana Angélica Ajipe Oshiro)

Directora de Ippan Shadan Houjin Hyogo Laten Comunity

Miembro del directorio de la NPO FM YY y la NPO Takatori Comunity Center.

De nacionalidad peruana. En 1991, emigró a Japón como descendiente de segunda generación de Okinawa, donde actualmente vive como residente permanente.

Después de experimentar el Gran Terremoto de Hanshin-Awaji, en 2000 junto a japoneses y latinos dentro de la ONG Word Kids Comunity, inició actividades de apoyo a su comunidad a través de Hyogo Laten Comunity. En 2011 Hyogo Laten Comunity se independiza como organización, desde entonces, bajo su dirección, viene realizando actividades de apoyo a la comunidad hispanohablante tales como: la publicación mensual y gratuita de "Latin-a", una revista con información para la vida cotidiana en Japón, clases para el aprendizaje de la lengua materna para niños, emisión de información a través del programa radial vía internet, web y redes sociales, organización de eventos culturales, atención de consulta de la vida cotidiana, entre otros.

BOLIVIA REGISTRO DE UNA HISTORIA PARALELA
(Bolivia Kaitakuki Gaiden)
Colonia Okinawa
Personas que sobrevivieron a epidemias, desastres y discriminación
[versión en español]

Publicado: 31 de Octubre del 2023
Autor: Hideki Watanabe
Traductoras: Shizuyo Yoshitomi, Roxana Oshiro
Revisión de traducción: Asociación Okinawense de Bolivia
Director de la editorial: Michimasa Oe
Editorial: Akashi Shoten Co., Ltd.
6-9-5 Sotokanda, Chiyoda-ku, Tokyo 101-0021 Japan

ボリビア開拓記外伝 スペイン語版
──コロニアオキナワ　疫病・災害・差別を生き抜いた人々

2023年10月31日　初版第1刷発行
著　者　渡邉　英樹
訳　者　吉富　志津代
　　　　大城　ロクサナ
翻訳監修　ボリビア沖縄県人会
発 行 者　大江　道雅
発 行 所　株式会社　明石書店
〒101-0021 東京都千代田区外神田6-9-5
電　話　03（5818）1171
F A X　03（5818）1174
振　替　00100-7-24505
https://www.akashi.co.jp

組　　版　朝日メディアインターナショナル株式会社
装　　丁　明石書店デザイン室
印刷・製本　モリモト印刷株式会社

（定価はカバーに表示してあります）　ISBN978-4-7503-5669-3

エリア・スタディーズ54

ボリビアを知るための73章【第2版】

眞鍋周三 編著

■四六判／並製／424頁 ◎2000円

南米大陸のほぼ中央に位置する内陸国ボリビア。世界最高度の大都会ラパスを擁し、アンデス山脈の豊かな自然、そして多くのインカの遺跡群を有する魅力あふれる国の姿を、歴史、政治、経済、音楽、旅行、トレッキングなどのテーマにわたり各々の専門家が活写。

内容構成

Ⅰ 自然環境とその利用　国土の概観／多様な気候／アルティプラノと山岳高地／ユンガス地帯／ウユニ塩湖と南西部／谷間地方へ ほか

Ⅱ 現代の社会　多様な社会／国家の概況／都市と人びと／ボリビアの先住民族／先住民族の言語生活／開発戦略と国際協力 ほか

Ⅲ 複雑な政治・外交　「錫の世紀」とチャコ戦争／ボリビア革命／多民族社会の統治と民主主義のゆくえ／内陸国の国際関係 ほか

Ⅳ 経済の変貌と現状　経済開発の諸条件／農業／東部低地開発／鉱業モノカルチャー経済構造の変化／コカ経済の盛／リチウム資源 ほか

Ⅴ 歴史　チリパからティワナクへ／インカ帝国の進出／アルト・ペルーの征服／植民地時代／ポトシ銀山／先住民の改宗事業／独立戦争 ほか

Ⅵ 暮らしの風景　高地の人類学／低地の人類学／ラパス県農村の青空市／カリャワヤのアンデス的宇宙観／オルロのカーニバル ほか

Ⅶ 芸術・文化　建築／美術／博物館めぐり／ウカマウ映画集団の軌跡／豊かな食文化／アウトクトナ音楽／クリオージャ音楽 ほか

Ⅷ 旅への誘　ボリビア南西部自転車縦断記／ボリビア高地で見た皆既日食 ほか

ブラジルを知るための56章【第2版】
エリア・スタディーズ14　アンジェロ・イシ著　◎2000円

エクアドルを知るための60章【第2版】
エリア・スタディーズ58　新木秀和編著　◎2000円

コロンビアを知るための60章
エリア・スタディーズ90　二村久則編著　◎2000円

グアテマラを知るための67章【第2版】
エリア・スタディーズ61　桜井三枝子編著　◎2000円

パナマを知るための70章【第2版】
エリア・スタディーズ42　国本伊代編著　◎2000円

コスタリカを知るための60章【第2版】
エリア・スタディーズ37　国本伊代編著　◎2000円

ニカラグアを知るための55章
エリア・スタディーズ146　田中高編著　◎2000円

ホンジュラスを知るための60章
エリア・スタディーズ127　桜井三枝子、中原篤史編著　◎2000円

〈価格は本体価格です〉